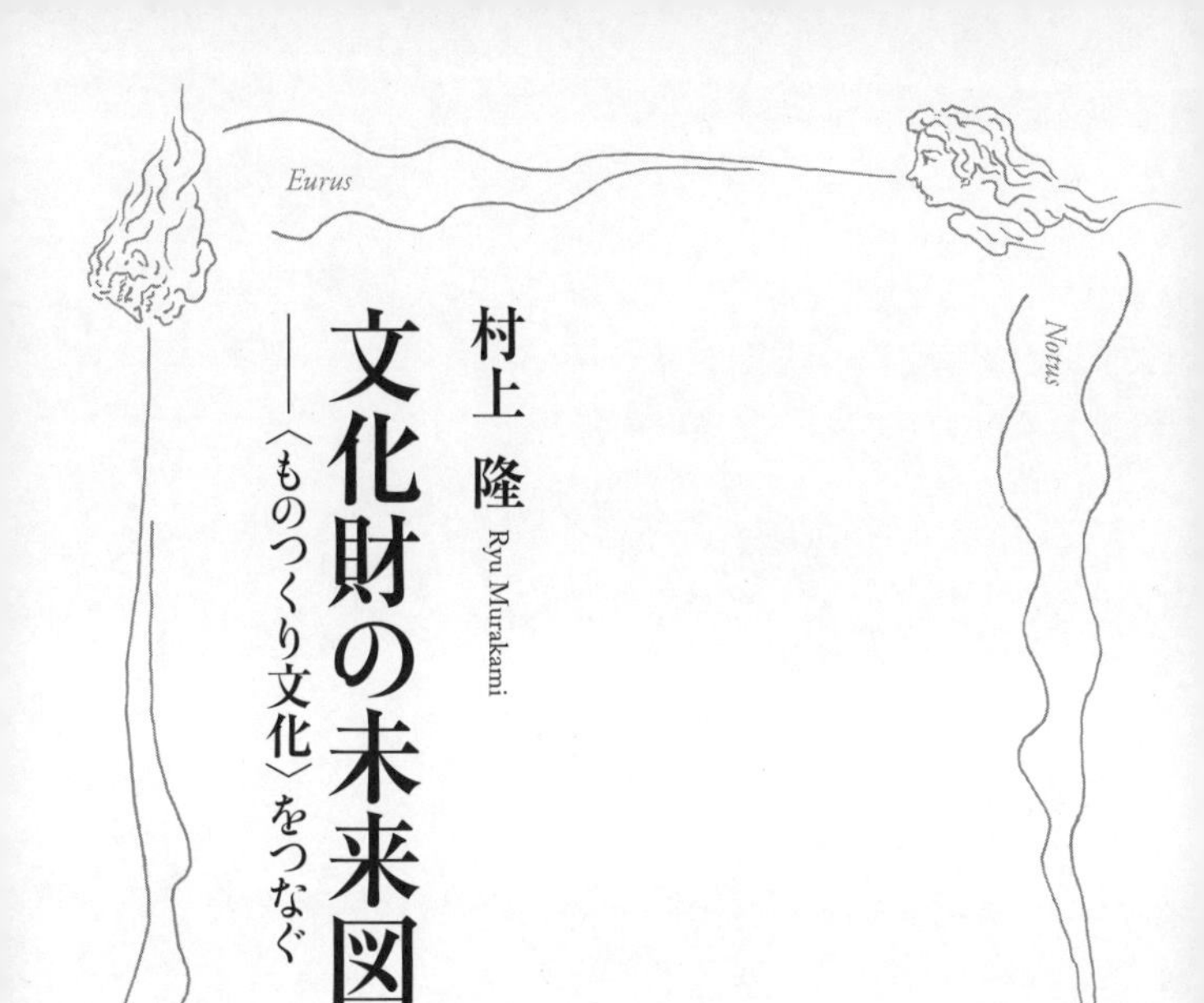

文化財の未来図

――〈ものつくり文化〉をつなぐ

村上 隆
Ryu Murakami

岩波新書
1998

はじめに――水、空気、そして文化財

最近よく「インフラ」という言葉を耳にする。「Infrastructure」(下部構造)の接頭辞(せっとうじ)「infra」が独立して、「交通、通信、電力、上下水道、公共施設など、社会や産業の基盤」を示す日本語として使われ出したのは、本格的な「インフラ」整備が始まった一九六〇年代の高度成長期あたりからであり、一般的に定着したのは一九九〇年代後半になって、阪神・淡路大震災などの災害時に、人命救出の次に大事なのは「インフラ」の復旧であると報道が頻繁に伝えたことによるのではなかろうか。接頭辞としてのinfraは、「下部、下の」の意味を持つ。可視光の赤より周波数が低い「赤外線infrared」は、われわれの目には見えない光である。現代社会の「インフラ」がしっかりと整備されていれば、われわれが普通に生活するにあたって、「インフラ」は当たり前に存在するものとして特に目に見えなくても差支えがない。逆に目につかないのが「インフラ」なのだろう。

日本は、水に恵まれた国である。周囲を海に囲まれて、降雨量も豊富で、河川も多いため、比較的容易に淡水を手に入れやすい。地域の差はあるが、上下水道設備も進み、各家庭まで安全な水が供給されている現代の日本では、水は当たり前にある「インフラ」と思い込んでいる節がある。しかし、インフラとして、安全な水を確保できるようになるために、環境保全に対するたいへんな努力が行われてきた歴史があり、実際には安定した水源地の確保や老朽化した水道管の整備など、現時点でもまた新たな問題が顕在化してきているのが現状なのである。

第二次世界大戦によって大きなダメージを被った日本であったが、戦後急激な経済成長をとげ、一九六〇年代には日本列島の各地に大規模な工場群が次々と建設された。大規模な工業団地がコンビナートとして稼働し、林立する煙突から立ち上る煙は経済復興のシンボルでもあった。しかし、大気汚染によって多くの人々がぜん息にかかるなど、「公害」と呼ばれる深刻な社会問題が発生する事態が生じた。また、工場からの排水が河川や近海を汚す汚染水の問題も、やはり「公害」として大きな問題となった。高度経済成長期に入った日本において、経済優先の社会が生み出した負の遺産であった。一九七〇年代に入って、ようやく経済的な産業の成長には環境保全が担保されていないといけないという考えが優勢になり、住民と企業、さらには行政も一体となって、環境保全に取り組み、「公害」禍から抜け出すことができた。

きれいな水と空気は、われわれが生きていくために絶対的に必要なインフラである。ここで、私は、もう一つ、現代日本において水と空気と同じくらい大事なものとして、「文化財」を挙げておきたいのである。どうして文化財が、と驚く方々も多いだろう。文化財は、国宝や重要文化財としてすでに大事にされているではないか、文化財以外にももっと大事なものが他にもあるだろう、などいろいろな声が聞こえてくる。私が言う文化財とは、国宝や重要文化財などの特別な存在だけではなく、市井(しせい)にさりげなく存在する数多の文化財のことである。

日本は、古代においても海外から入ってくるものを基層の文化にうまく取り入れ、新たな再生産を繰り返しながら、多重にそして多様に重なり合った文化を育んできた。そして、その生き証人として残された文化財の豊富さは、世界的にみても類を見ない。それらが至るところにさりげなく「もの」として残されてきたのが日本である。

多くの文化財は、水や空気のように当たり前に存在しているため、日頃は特に意識することはないのだが、地震や風水害など、さまざまな災害で消失してしまって初めてその存在の大きさに気が付く。交通、通信、電力、上下水道などの公共施設のインフラが復興した後に襲われる心の喪失感を生んでしまうことになる。文化財は、日本人の健全な心を支えるのに不可欠な「心のインフラ」なのである。水と空気は、少し乱暴な言い方になるが、どちらも技術力があれば再生可能である。しかし、文化財は消失してしまえば「もとに戻らないもの」である。最近隆盛のデジタル・アーカイブ化を促進して残すことも重要であるが、単なる記録だけでは次の世代にまで人の記憶をつなぐことは難しい。やはり「もの」自体の存在が重要となる。

一度消失すると再生がきかない文化財の保全は、きれいな空気と水の環境保全とともに、現代のわれわれが次の世代のために覚悟を決めて取り組むべき重要な課題なのではなかろうか。

本書は、「ものつくり」の現場で育ち、約半世紀にわたって「文化財」と関わってきた私の経験と実践に基づく未来への提言である。

目　次

I
日本は文化財の国である

一　今、なぜ「文化財」なのか？

国宝ブームに思う

最近は、国宝ブームのようだ。巷の書店には、「国宝」と銘打った書物が多数並んでいる。東京国立博物館の創立一五〇年記念として、二〇二二(令和四)年一〇月一八日から一二月一一日まで開催された特別展「国宝　東京国立博物館のすべて」は、同館が収蔵する八九件の国宝すべてが展示され、予定された会期を一二月一八日まで一週間延長する盛況ぶりであった。

「国宝」という言葉は、一八九七(明治三〇)年に制定された「古社寺保存法」によって初めて登場するが、ちょうどこの「古社寺保存法」制定と軌を一にして開館した京都国立博物館においては、二〇一七(平成二九)年に開館一二〇周年を記念して、約二〇〇件の国宝を一堂に会した「国宝展」が大々的に開催された。同館としては四一年ぶりの国宝展であった。日本に数多ある博物館施設の中で、展示作品を国宝だけに絞った展覧会を開催できるのは、この二館に代表される国立博物館クラスになるのだろう。見ごたえのある展覧会として、多くの人が訪れたのも当然である。

国宝は、歴史的、芸術的、学術的に特に優れ、文化財の中でも最も上位に位置づけられ、日本の歴史や文化を考える上で、外すことができない存在である。国宝の展示に対して多くの人たちが関心を持つことはたいへん大事なことである。

しかし、二〇一七年の京都と二〇二二年の東京と、数年違いで開催されたこの二つの国宝展を目の当たりにする中、博物館、そして国宝に対する意識が私の中で微妙に変化していることに気づかされた。この意識の変化は、国宝に対してだけではなく、国宝を頂点にいただく文化財全体に対してといってもよいだろう。

私が文化財と関わる仕事に携わってすでに半世紀に近くなった。一九五〇(昭和二五)年に「文化財保護法」が施行されて以来、文化財保護の主眼は「保存と継承」に置かれ、私もその真只中で、日夜業務にあたってきた。しかし、二一世紀の声を聞く二〇〇〇年あたりから「活用」にもウエイトが置かれだし、その後の数年の間に文化財を取り巻く状況が大きく変化し、二〇一八(平成三〇)年に一部改正された文化財保護法では明確にその方向性が打ち出された。これは、二〇二〇(令和二)年に開催予定であった東京オリンピックを主軸にしたインバウンド効果への期待も背景にあったのだろう。

しかし、二〇二〇年の年頭から突如拡がった「新型コロナウイルス感染症」(COVID-19)によるコロナ禍によって、状況は一変した。海外との往来も制限され、東京オリンピックは延期、また博物館や美術館も予定していた展覧会を中止にせざるを得ない事態に陥った。このような状況下において、私も美術館関係者として戸惑い、かつ翻弄される中、普段の時間の流れの中では日常の雑事の対応に追われてゆっくり考える余裕もなく積み残してきた諸々の事ども、例えば、博物館施設のあり方や文化財という存在の意義などについて、改めて問い直す時間を持ち得たことも事実である。

そして、ようやくwithコロナとしての明るさを取り戻しつつある渦中の二〇二二(令和四)年二月に、ロシアによるウクライナ侵攻という思いがけない惨事が勃発した。ウクライナ問題と文化財とは直接関係ないようにみえるかもしれないが、戦争は自然災害とともに文化財保護の最大の敵である。首都キーウなどにある由緒ある歴史的建造物が爆撃によって崩壊していく悲惨な光景に心が痛まない人はいないだろう。日本の文化財も過去の戦禍によって甚大な被害を被った歴史を持っている。二〇一一(平成二三)年三月一一日、東日本大震災によって生じた津波に寺院などの文化財がのまれて消えていく姿や、ウクライナの教会が砲火によって破壊される姿の生々しい映像は、われわれに何を語っているのだろうか。尊い人命とともに、文化財もわれわれが生きていく上で大事な存在として、なくてはならないものであることを想起させているのではなかろうか。

二一世紀という新しい時代にありながら、人類にとって克服しなければいけないさまざまな課題が次々と顕在化しているこのタイミングに、これからの日本のあり方を考える上でも、文化財そのものを問い直すことの重要性を改めて気づかされるのである。

インバウンド効果に浮足立っていた二〇一七年の頃から、その後二〇二〇年年頭に始まりほぼ三年にわたるコロナ禍からようやく抜け出したとみられる二〇二三年に至る時の流れの中で、国宝に代表される文化財への私自身の意識がどのように変化したかを改めて検証しておく必要があると考える。もともと、国宝だけを大事にしているだけでは日本文化は守れない、という考えを持っていたが、コロナ禍の中でますますその感が強くなったことだけは間違いない。文化財は、日本の歴史と文化の根幹を考える上で、そして日本のこれからのあり方を考える上でたいへん重要なファクターではなかろうか。「文化財」は、いままさにホットな課題なのである。

「ものつくり」が生んだ文化財

「文化財」を語るについて、私がどういう立場で文化財を考えているかをまず表明しておく必要があるだろう。文化財の定義はのちに述べるようにたいへん多様性に富んでいるのだが、私にとっての文化財は、例えば、歴史的な建造物であり、絵画、彫刻、金工、漆芸などの美術工芸品、すなわちそれぞれの時代の匠たちが、物質としての材料を駆使して制作した形あるものとしての具体的な姿である。

私は、彫刻家の息子として生を享けた。物心ついた時から、父が鑿で木を刻む槌音の響きと削られた木の放つ芳香の中で育った。そして、私自身は、金属を中心とする材料科学を学び、それがご縁で、形ある文化財の調査に携わることになった。特に、最新の材料科学の手法を駆使して文化財を調査していくと、その時代時代の工人たちが、どんな材料を使って、どういう技術によって制作したか、つまり「ものつくり」の歴史的変遷を追っていくことができる。これが、私が標榜する「歴史材料科学」の世界である。日本の匠たちは古来たいへん器用で、材料の特性を熟知し、驚くような手ワザを用いて、工夫に富んだ作品を作り上げてきた。そして、現代の工業製品にもその伝統が連綿と受け継がれており、「モノづくり」の国・日本の基層を成していると言ってよいだろう。

「ものつくり」として、私があえて「もの」という表記にこだわるのは、伝統的職人芸の手ワザで制作する一品主義の制作の成果としての「もの」であり、有形の文化財も「もの」の範疇で考えてよいだろう。これに対して、明治時代以降の近代化の中で確立された機械的に大量生産する工業的な製作物を「モノ」とすることにより、一線を画することができる。これは、以下で論じることになる文化財の価値論を考える上でも重要なコンセプトとなる。もちろん、現代日本の「モノづくり」の底流には、古来の「ものつくり」の源流が脈打っていることはいうまでもない。私が扱ってきた文化財は、「ものつくり」の成果品として生み出されてきた制作物であり、私はこれらの文化財を通して、日本文化、中でも「ものつくり文化」に重きを置いて学んだのである。

以上のような背景の下で、本書は「ものつくり」が生んだ有形の文化財を中心テーマとして展開するが、無形の文化財、能楽や歌舞伎などの伝統芸能、茶道や華道などの芸道、音楽や舞踊などの舞台芸術、さらには祭などの民俗的な祭事などの存在を忘れているわけではない。実際に、このような諸分野の無形の文化財を伝承・維持していくにも、用いる衣装やさまざまな小道具類、パフォーマンスを演じるための空間を提供する建造物など、有形文化財の支えが不可欠なのではなかろうか。単に、補助的な存在というより、切り離せない相互補完的な関係であり、双方の相乗効果によって豊かな世界が演出されることになる。私は、有形の文化財をつないできた「ものつくり文化」は、無形文化財にも通じた「日本文化」全体の基層に位置するものと考えている。

二 「文化財」の誕生

「文化財」という言葉

私は、「ものつくり」の観点から文化財をみていると述べたが、ここで改めて「文化財」という言葉の定義を考えておく必要があるだろう。

そもそも「文化財」はいつ頃から登場する言葉なのだろうか。いわゆる日本の文化財には古い時代に制作されたものが多いこともあり、明治時代以前から使われていた言葉と考えても不思議ではない。しかし、文化財は、一九四九(昭和二四)年の法隆寺金堂(こんどう)の火災による壁画焼損の翌年、一九五〇(昭和二五)年に施行された「文化財保護法」において定義された、戦後生まれの比較的新しい言葉である。

では、文化財という言葉はいかにして誕生したのか。これを探ることは、文化財そのものを考える上でたいへん重要である。文化財は、第二次大戦後の連合国軍占領下、文化財保護法の制定時に、英語の Cultural Properties の訳語として生まれたと一般的に言われることが多く、文化財分野で長く仕事をしてきた私もかつてそのように教えられた記憶がある。しかし、改めて調べてみると、そんなに簡単な話ではないことがわかってきた。実際には、文化財保護法の成立経緯にも大きく関わるが、ここでは文化財という言葉がどのように生まれたかという点に集約して探っておくことにする。

一九五〇年の「文化財保護法」施行後の一九五五(昭和三〇)年に新村出(しんむらいずる)の編集で出版された『広辞苑』第一版(岩波書店)には、「文化財」は次のようにあり、最新(二〇二三年現在)の第七版でも基本的に同じ表現をとっている。

「文化財」(Kulturgüter ドイツ)①文化価値を有するもの。文化活動の客観的所産としての諸事象または諸事物。②文化財保護法で保護の対象として取上げた文化財。有形文化財(建造物・絵画・彫刻・工芸品・書跡・筆跡・典籍・古文書などで歴史上・芸術上価値の高いもの及び考古資料)、無形文化財(演劇・音楽・工芸技術などで歴史上・芸術上価値の高いもの)、民俗資料・史跡名勝天然記念物の四種。

明治以降に出版された辞典の中で「文化財」という言葉を載せているのは、私の調べた限りでは新村の編集した辞典だけである。初出は、一九三五（昭和一〇）年に発刊された新村の編纂による『辞苑』（博文館）である。

「文化財」（名）【哲】文化の所産、即ち藝術・宗教・法律・経済等の類。

このような定義は、「文化財」の基となる「文化」自体が、「文徳で民を教え導くこと」という中国古来の考え方に加えて、大正時代初頭あたりから、ドイツ語のKultur（クルトゥール）の訳語として使われ出した延長線上にある（柳父章『文化 一語の辞典』）。「文化」と訳されたKulturは、自然に対して人間が作り出したすべてのもの、すなわち、国家・法制・経済などの全体をさす新カント派哲学の概念であり、「文化財」もKulturgutの訳語として、すでに一九一九（大正八）年発行の高田保馬『社会学原理』にも認められる。初版の広辞苑にKulturgüterとあるのもその名残であろう。

このように、「文化財」が建造物や美術工芸品などの具体的な文化的遺産を一括した言葉であるという認識はもともと一般的ではなかったことは、戦後、文化財保護法の成立前に新村が編集した『言林』（昭和二四年版、全国書房）からも窺える。

「文化財」(名)与えられた自然の事実を真・善・美・聖等の理想(又は価値)に則って形成した結果・所産。

このように経過を辿ると、「文化財」という言葉はもともと抽象的な概念であったが、文化財保護法によって具体的な意味を突如背負うようになったことがわかる。それまで、「国宝」、「古器旧物」や「宝物」、「史跡」や「名勝」など具体的な名称で呼んでいたものに、さらには「演劇」や「音楽」など広範な概念までをも含めて一括して扱う「文化財」という言葉の突然の出現には、関係者もそうとう戸惑ったようである。

法隆寺などの古建築研究者である父・関野貞からの薫陶を受け、文化財保護に関わり、のちに東京国立文化財研究所所長となる関野克や、平城宮の発掘調査など埋蔵文化財行政の牽引者としてのちに奈良国立文化財研究所所長となる坪井清足など、戦後の文化財保護を担った中心的な人たちが集った座談会でも、この当時を振り返って、「文化財」という言葉の登場が与えた衝撃を述懐している(児玉幸多ほか「文化財保護をめぐって」)。一九三五年当時、『辞苑』に出ているとはいえ、専門家や研究者にとっても「文化財」は馴染みのない言葉であった。

文化財保護法誕生直後の一九五一（昭和二六）年一月に『古文化財之科学』という名称の学会誌第一号を発刊した古文化資料自然科学研究会（後に古文化財科学研究会と改称、現・文化財保存修復学会）は、一九三三（昭和八）年に、歴史的建造物や美術品の保存や修理に関わってきた滝精一東大教授を中心に、文理の枠を越えて立ち上げた古美術保存協議会にそのルーツを持つが、発会当初から、すでに彼らは研究対象とする建築物、絵画、工芸品、出土品などを一括して「古美術」、「古文化資料」と総称していたことがわかる。しかし、「文化財保護法」によって「文化財」が突如登場したため、それに呼応するべく「「古」文化財」と呼び直したのではなかろうか。ちなみに、学会誌創刊の一九五一年の時点において、「古文化財」の英語表記をAntiquesとしており、Cultural Propertiesという表記がまだ登場していないことが窺える。

一九三四（昭和九）年に、文部省に法隆寺国宝保存事業部が設置され、法隆寺内に法隆寺国宝保存工事事務所を設けて「法隆寺昭和大修理」が起工されたが、ここでも当然ながら「文化財」という言葉は使われていない。この頃、日本の軍国化が進んでいくが、ドイツ語のクルトゥール由来の「文化」は、軍国主義と対立せず、むしろ両立する概念として捉えられており、その当時の日本でも受け入れられたことは、日中戦争が始まる直前の一九三七（昭和一二）年に「文化勲章」が制定されたことからも窺えるだろう。

「文化財」は戦争が生んだ言葉?

では、本来は抽象的な概念を持つ「文化財」が、どのような経緯で建造物、美術工芸品、記念物、遺跡など、個々別々に扱われる異なる分野の所産を一つの概念として包括する言葉になったのだろうか。このような包括的な「文化財」概念の萌芽は、一九世紀後半あたりからの帝国主義諸国による武力衝突を回避しようとする国際的な動きの中にあるようである。

一八九九年と一九〇七年にオランダのハーグで開催された万国平和会議で欧州諸国を中心に、軍事紛争に際し、交戦国同士の軍事的な破壊力が拡大する中で、戦時国際法の法典化がめざされた。その中で、軍事目標(破壊することが攻撃国に軍事的利益を与えるもの)とそれ以外の民用物を区別し、攻撃国は、識別可能な民用物を攻撃の対象とせず、軍事目標の攻撃においても民用物の損傷が過度であるような無差別攻撃を慎むことを国際的に義務づけようとすることが議論され、一九〇七年の第二回万国平和会議で採択された「戦時海軍力ヲ以テスル砲撃ニ関スル条約」(ハーグ第九号条約)、さらに「陸戦ノ法規慣例ニ関スル条約」の中で、「宗教、技芸、学術及慈善ノ用ニ供セラルル建物、歴史上ノ紀念建造物」の砲撃に制限を加えることが謳われ、「歴史上ノ紀念建造物、技芸及学術上ノ製作品ヲ故意ニ押収、破壊又ハ毀損スルコトハ、総テ禁セラレ且訴追セラルヘキモノトス」とした。

このように、歴史的建造物だけではなく、「技芸及学術上ノ製作品」、いわゆる美術工芸品や書物も含めた民用物も特別な保護対象として扱われたことは画期的なことである。その後、一九二二年のワシントン会議で設置されたハーグ法律家委員会では、戦闘機の開発に伴い「空戦に関する規則案」が起草され、歴史的建造物への直接の空爆を禁じるとともに周囲に保護地帯を設けることなどが提案されたが、未だに条約化には至っていない。

しかし、この基本的な考え方は、その後一九三五年に「芸術上及び科学上の施設並びに歴史上の記念工作物の保護に関するワシントン条約」に引き継がれる。この条約は、ロシア出身の画家・哲学者であるニコラス・レーリッヒの提唱によるもので、当事国がアメリカ地域の一〇ヵ国に限られてはいるが、汎米連合(Pan American Union)の加盟国によって採択された。当時の合衆国大統領フランクリン・ルーズベルトが強く成立を後押ししたものである。第二次大戦後、一九五四年に制定される「武力紛争の際の文化財の保護に関する条約」を先取りする内容を含んでいる上でも重要な条約である。

このような経緯の中で、軍事下における軍事目標ではない民用物の中でも特別に保護が必要な対象として、歴史的建造物、記念物、遺跡、美術工芸品、書物などを個々に論じるのではなく包括的に括る概念を集約する言葉として、「文化財」という言葉が生まれてきたと考えてよいのではなかろうか。

一九三八(昭和一三)年の中国戦線において、中国側の文物疎開の際、その一部を接収した日本側が文物・古物や書物を整理した過程で、その実態の詳細は不明な点も多いが「文化財」という言葉を用いた記録がある。そして、その一部が中国側に返還されたというが、日本もハーグ条約に批准していたこともあり、この条約を意識した行動であったのだろうか。関野克の、一九三九(昭和一四)年頃、ある財閥が文化財に関する研究所を作りたいという話があり、当時の国家総動員下で使われた生産財という言葉に対して精神文化的な意味で文部省の事務官が文化財という言葉を使ったのを聞いた記憶がある、という話(前掲「文化財保護をめぐって」)にはこのような背景があったのかもしれない。いずれにしろ、「文化財」が抽象的な概念から文化的所産としての具体的な「もの」の総称として使われた、早い事例としてよいだろう。

次章で詳しく述べるが、日本では、明治以来、古社寺保存法(一八九七年)、史蹟名勝天然紀念物保存法(一九一九年)、国宝保存法(一九二九年)、重要美術品等ノ保存ニ関スル法律(一九三三年)と保存行政の法整備を重ねてきたが、一九四一(昭和一六)年の太平洋戦争突入以降の戦局激化に伴い、文化財保護の業務も大幅に縮小されるに至った。

そして、国際的にも文化財の重要性が認められ、軍事下における保護も条約において規制されていたにもかかわらず、第二次世界大戦の終盤、日本では、一九四五(昭和二〇)年八月の原爆投下までに至る約五ヵ月間で、北海道から沖縄までの日本列島のほとんどの都市で空爆を受け、明治維新期の廃城令を乗り越えて生き残った名古屋城、広島城などの城郭や、二〇六棟の国宝建造物が焼失のため指定を解除された。この数は、明治以来現在まで火災などの理由で文化財指定解除された総数の五倍に当たるといわれている。

「文化財」の誕生

一九四五(昭和二〇)年八月一五日の敗戦により、日本は連合国軍の占領下に新たな「文化国家」をめざすことになる。その頃の動きを、近・現代建造物の歴史に詳しい金井健氏(東京文化財研究所)の論考を参考に追ってみることにしよう。

戦後の混乱の中、保存行政自体がほぼ停止状態であるにもかかわらず、文部省は一〇月から重要美術品などの散逸、損壊、海外流失に対する基礎的調査を開始している。一方、一一月には、連合国最高司令官総司令部(GHQ)が日本政府に対して、戦争被害に遭った美術品、記念物などの保存対象物の悉皆(しっかい)調査を命じ、文部省は翌年一〇月にはその結果の報告を完了している。GHQの指示は、戦時国際法に基づく記念建造物美術品等保護の考え方に従ったもので、担当部局が、民間情報教育局（CIE）である。少し余談になるが、CIEが顧問に迎えたのが、ラングドン・ウォーナーである。彼は、岡倉天心に薫陶を受け、日本美術にも造詣が深いこともあり、また戦前にアジア地域の記念建造物美術品等の保護のための目録や解説書、いわゆるウォーナー・リストをアメリカ政府に提供していたことによる人選だった。それがのちに、京都、奈良などの歴史的都市や歴史的建造物をアメリカ軍の空爆目標から外すように進言した恩人と拡大解釈され、「ウォーナー伝説」へと進化していったようである。この手の伝説は、一旦一人歩きすると止めようがないのが実情であろう。

さて、CIEにおける保存行政の担当部署が一九四七（昭和二二）年末には宗教・文化財課（Religion and Cultural Resources Division）に統括され、ここで初めて「文化財」という言葉が公式に登場することになる。注目されるのは、英語としてはCultural Resourcesであり、Cultural Propertiesではないことである。この年にCIEが用いたCultural Resourcesの訳語として文化財という言葉が用いられ、その後の文化財保護法の立案・審議の過程において、文化財という言葉が自然に多用されるようになり、当時の行政関係者の業界用語として定着していったのではないか。そして、文化財から逆にCultural Propertiesと翻訳されたのではないかとの推測があるが、これはなかなか興味深い見解であろう。

戦後の混乱期において、それまでの保存行政の中で、個別に取り扱われてきた国宝や重要美術品、史跡名勝記念物の概念を「文化財」という言葉で束ねる発想がどうして生まれたのか、という問いかけに対する答えがようやくみえてきたのではなかろうか。二〇世紀初頭のハーグ条約以降、国際的にさまざまな文化的所産を包括する言葉を模索してきた中、Cultural Resources の概念に基づいて改めて定義されたと考えると納得がいく。

占領下、戦前の法制度の不備を再検討することを余儀なくされる中、法隆寺金堂の焼損という一大惨事が起こった。これがトリガーとなって、超党派の議員立法という形で制定された文化財保護法は、占領下にありながら、「平和的文化国家」の再出発を象徴する存在となったことには間違いなかろう。

終戦前後の一九四三〜四六年に合衆国が設けた「戦争地域における美術的・歴史的遺跡の保護・救助に関するアメリカ委員会」(ロバーツ委員会)の小委員会の名称の一つに Cultural Value and Property が用いられているなど、「文化財」の英語表現に対して国際的にも紆余曲折は認められるが、一九五四年に国際連合教育科学文化機関(UNESCO)の主導のもとに策定された「武力紛争の際の文化財の保護に関する条約」(一九五四年ハーグ条約)において、「Cultural

Property＝文化財」として定着することになる。

こうしてみてくると、「文化財」という言葉は、二〇世紀になって、戦争における破壊力が増強され、また戦域規模が拡大しグローバル化する中で、人類の過去のさまざまな文化遺産を統括的に守る知恵の発露として生み出された言葉であり、その意味でも世界の共通語として位置づけられたことがわかる。

「文化財」をどう定義するか

「文化財」は、人類のさまざまな歴史的な産物を統括してグローバルに守るという観点に源流を持つ懐の深い言葉であることを改めて確認することができた。

「文化財」は、誕生以来、すでに七〇歳を越え、日本では誰でも知っている言葉となったが、いざ「文化財とは何ですか」という問いかけに明確に答えるのはなかなか難しいのではなかろうか。「古くて大事なもの」、「時代を超えて継承するもの」などという言葉が返ってくる一方、文化財とは「国宝や重要文化財」だけを指すと思い込んでしまっている方々も多いのではなかろうか。私の周りでも、指定品以外のものを指して、「これは文化財ではない」という発言が飛び交うことがあり、この発言の奥には「指定されていない」のならば、少々乱暴に扱っても許されるだろうという暗黙の了解が潜んでいるように思われる。すなわち、作品の価値判断の根拠を、国宝や重要文化財に指定されているかどうかに置いているわけである。

このような状況を生みだした背景を含めて、ここで文化財の定義について改めて考えてみる必要があるだろう。

「文化財」は、基本的には「文化財保護法」という法令で規定した行政用語として位置づけられる。文化財保護法が示す文化財の体系(図I-1)では、多様な文化財を、有形文化財、無形文化財、民俗文化財、記念物、文化的景観、伝統的建造物群、と分けている。一九五〇年の制定時は四つのカテゴリーで始まったが、その後、伝統的建造物群、文化的景観が順次加えられ、現在では六つのカテゴリーからなる。

文化財保護法によるそれぞれの定義は次のようになる(一部簡略化して表記)。

有形文化財：建造物、絵画、彫刻、工芸品、書跡、典籍、古文書その他の文化的所産で我が国にとって歴史上又は芸術上価値の高いもの、並びに考古資料及びその他の学術上価値の高い歴史資料

無形文化財：演劇、音楽、工芸技術その他の無形の文化的所産で我が国にとって歴史上又

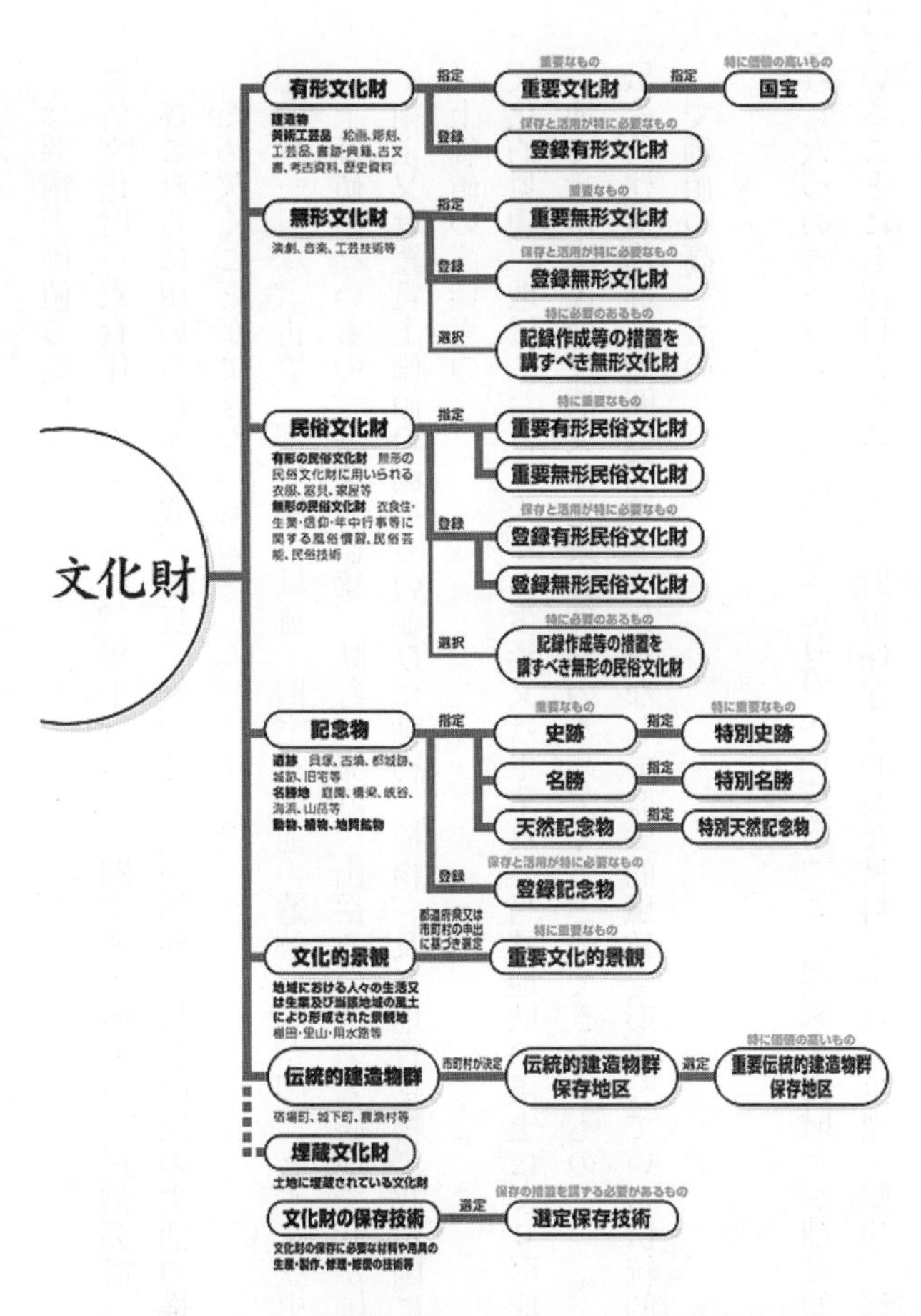

図Ⅰ-1　文化財の体系図(出典：文化庁ホームページ　https://www.bunka.go.jp/seisaku/bunkazai/shokai/gaiyo/taikeizu_1.html)

は芸術上価値の高いもの

民俗文化財：衣食住、生業、信仰、年中行事等に関する風俗慣習、民俗芸能、民俗技術及びこれらに用いられる衣服、器具、家屋その他の物件で我が国民の生活の推移の理解のため欠くことができないもの

記念物：貝塚、古墳、都城跡、城跡、旧宅その他の遺跡で我が国にとって歴史上又は学術上価値の高いもの、庭園、橋梁、峡谷、海浜、山岳その他の名勝地で我が国にとって芸術上又は鑑賞上価値の高いもの並びに動物、植物、及び地質鉱物で我が国にとって学術上価値の高いもの

文化的景観：地域における人々の生活又は生業及び当該地域の風土により形成された景観地で我が国民の生活又は生業の理解のため欠くことのできないもの

伝統的建造物群：周囲の環境と一体をなして歴史的風致を形成している伝統的な建造物群で価値の高いもの

これら六つのカテゴリーの他、「文化財の保存技術」と「埋蔵文化財」が補足的に組み込まれていることにも注目される。文化財の保存に必要な材料や用具の生産・製作、修理・修復の

技術は、すべてのカテゴリーの文化財に欠かせないものとして位置づけられるからである。また、文化財の定義には含まれないが、土地に埋蔵されている遺跡や遺物に対して埋蔵文化財として法的な取り扱いを規定することも大事なのである。

そして、文化財保護法の法体系の下、文化財の保護を目的に各種の規制や援助を実施するためには、その対象を明確に規定する必要がある。それが、いわゆる「指定制度」である。

少々複雑であるが、指定制度を詳しくみておこう。

まず、「指定文化財」であるが、有形文化財の中で重要なものが重要文化財、無形文化財の中で重要なものが重要無形文化財となる。また、有形の民俗文化財の中で特に重要なものが重要有形民俗文化財、無形の民俗文化財の中で特に重要なものが重要無形民俗文化財となる。記念物の中で重要なものは史跡、名勝又は天然記念物となる。さらに、重要文化財の中で、類い稀なるものが国宝に指定され、史跡、名勝、天然記念物の中で特に重要なものが、特別史跡、特別名勝、特別天然記念物に指定される。このように、有形文化財と記念物に関する国の指定は、二段階指定制をとる。

また、「指定」以外に、「登録」、「選択」、「選定」の制度がある。「登録」は、重要文化財以外の有形文化財、重要有形民俗文化財以外の有形民俗文化財、さらには史跡、名勝、天然記念物以外の記念物の中で、文化財として保存及び活用のための措置が必要とみなすものを対象とし、登録記念物とする。

「選択」は、重要無形文化財以外の無形文化財の中で特に必要のあるもの、重要無形民俗文化財以外の無形の民俗文化財の中で特に必要のあるものを選択し、記録作成等の措置を講ずる。

さらに、「選定」であるが、「文化的景観」や「伝統的建造物群」に対して、都道府県、あるいは市町村からの申し出によって、特に重要と認めたものを「選定」し、重要文化的景観、重要伝統的建造物群保存地区と位置づける。また、文化財そのものではないが、文化財保存のために必要な伝統的な技術も選定保存技術として選定することができる。

文化庁のホームページには、以上を総括して次のように記されている。

文化財は、我が国の長い歴史の中で生まれ、はぐくまれ、今日まで守り伝えられてきた貴重な国民的財産です。このため国は、文化財保護法に基づき重要なものを国宝、重要文化財、史跡、名勝、天然記念物等として指定、選定、登録し、現状変更や輸出などについて一定の制限を課す一方、保存修理や防災施設の設置、史跡等の公有化等に対し補助を行うことにより、文化財の保存を図っています。(https://www.bunka.go.jp/seisaku/bunkazai/)

国宝・重要文化財だけが「文化財」ではない

文化財は、文化財保護法による指定制度のもと、重要なものを厳選し、さまざまな許可制等の強い規制のもと、手厚い保護を行うことを建前とする行政用語であることは既に述べた。

すなわち、文化財は、文化財として最初から存在するのではなく、文化財保護法第二七条に則って、文部科学大臣の「指定」という手続きを経て初めて文化財となる。現時点での重要文化財は一万三四三七件、その中で特に重要とする国宝の総数は、一一三七件（二〇二三〔令和五〕年一一月一日現在）となる（表）。

表　国宝・重要文化財指定数
（2023年11月1日現在）

種別／区分		国　宝	重要文化財
美術工芸品	絵画	166	2,053
	彫刻	140	2,732
	工芸品	254	2,475
	書跡・典籍	232	1,929
	古文書	62	789
	考古資料	49	660
	歴史資料	3	234
	計	906	10,872
建造物		(295棟) 231	(5,406棟) 2,565
合　計		1,137	13,437

出典：文化庁ホームページ（https://www.bunka.go.jp/seisaku/bunkazai/shokai/shitei.html）

国に準じるものとして、都道府県、さらには市町村などの地方公共団体の多くがそれぞれ文化財保護条例を制定し、地域内に存在する文化財の指定を行い、指定文化財を自ら管理・修

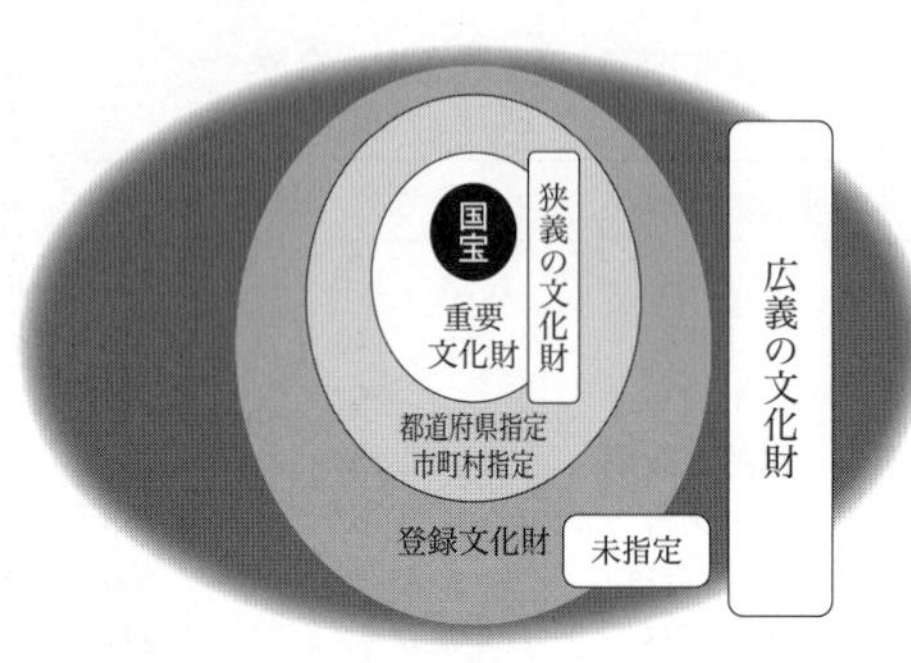

図Ⅰ-2　指定文化財と未指定文化財（狭義の文化財・広義の文化財．著者作成）

理・公開等を行うほか、所有者による管理・修理・公開等の事業への補助等も行っている。都道府県による指定文化財は、有形、無形、さらには天然記念物まで含めると二万二二三五件、そして、市町村指定文化財は九万七六四二件、合わせると一一万九八七七件（二〇二二〔令和四〕年五月一日現在）となる。このように、国、都道府県、市町村が指定した文化財が、行政的ないわゆる「文化財」という位置づけになる。

この件数は一見たいへん多いように思うかもしれないが、最近では文化遺産や文化資源という言葉で、Cultural Resources を捉え直そうという動きも出てきている中、この程度の数の文化財を大事にすれば、日本文化を守ったことになるのだろうか、という疑問が湧いてくる。Cultural Resources という裾野の広い概念の原点に戻って身の周りを振り返ると、指定対象ではないが、それに匹敵する価値があると思われる、いわゆる未指定の文化財に溢れていることに気が付く。すなわち、指定文化財は、未指定文化財の海に浮かぶ氷山の一角にしか過ぎないのである(図Ⅰ-2)。私は、この文化財の海を「広義の文化財」、そして行政的な保護対象としての指定文化財を「狭義の文化財」として捉えることにしている。日本文化の継承にとって、文化財保護法は歴史的にみても大事な法令であり、その精神を尊重する中で、改めて「文化財」という言葉の持つ意味を考え直す必要があると考える。すなわち、文化財という言葉が法的な枠組みの中で、固定観念で縛られて身動きできない言葉となってしまった感も否めない現在の重要な課題は、未指定の文化財をどうするのかである。

文化財登録制度が、一九九六(平成八)年から始まった。築後五〇年を経た建造物を対象に導入された制度であるが、すでに一万三千件を越える建造物が登録されている。この制度は、美術工芸品などにも拡大されてきているが、まだ数件の登録をみるだけであるものの今後増えていくことになるだろう。しかし、この登録文化財も実際には、指定文化財としての狭義の文化財ではなく、厳密にいえば未指定文化財の扱いである。最近、よく未指定文化財も視野に入れてという文言を目にすることがあるが、特に行政的な立場でいう未指定文化財は、この登録文化財を優先的に意識している場合もあるのではなかろうか。ここでいう広義の文化財全体をカバーした表現ではない場合も多い。

価値と枠組みを考える

このようにみてくると、「文化財の体系」は、我が国における「歴史上又は芸術上価値の高いもの」をすべて網羅しているようにみえるが、文化財保護法という法律によって規定される枠組みがあるため、その運用の制約上おのずと限界がある。これは、指定対象に匹敵する価値があるとみなされるものでも、実際には指定されていないものも多数存在することを意味する。

その要因の一つに、新たな指定対象の調査とその価値評価に時間がかかることが挙げられる。建造物を例にとると、現存している奈良から室町時代などの古い建造物のように文化財保護法の制定以前、戦前から評価が確定しているもののほとんどは、保護法成立当初から指定文化財として扱われており、近世以降の建造物については調査分野を少しずつ拡大する中で指定対象となるものが増えている。明治時代以降の洋風建築は一九六六（昭和四一）年から調査を実施し、指定対象は拡大しているが、一九三四（昭和九）年に竣工した明治生命館（東京都）が昭和期の建築物として初めて重要文化財に指定されたのが一九九七（平成九）年である。二〇二一（令和三）年には、一九六四（昭和三九）年開催の東京オリンピックの競技会場として誕生した国立代々木競技場（設計・丹下健三）が重要文化財に指定された。

しかし、ランドマークや国家事業のレガシーとしての存在ではない近・現代の建造物の多くは、急激な都市開発や生活様式の変化のため、その価値評価に至るまでもなく、消滅の危機に直面している。将来的に文化財的価値を有すると評価されるであろう近・現代の建造物を守るために、指定制度を補完するものとして、届出制を基本とする文化財登録制度が一九九六(平成八)年に誕生し、原則として建築後五〇年を経た建造物の中から登録を行うことが始められている。現在、全国各地の一万三千件を越える建造物が登録文化財となっている。やはりモニュメント性は高いが、内藤多仲(たちゅう)が設計した東京タワーや大阪の通天閣(つうてんかく)なども登録文化財である。同じく、内藤設計の名古屋テレビ塔が、タワー建築として初めて、二〇二二(令和四)年一二月、登録文化財から重要文化財の仲間入りをした。

絵画や美術工芸品の分野では、明治期以降の作品としては、狩野芳崖(かのうほうがい)「絹本著色悲母観音像」や菱田春草(ひしだしゅんそう)「絹本著色黒き猫図」などが早い時期に重要文化財に指定されているが、油画の高橋由一(ゆいち)「鮭」や浅井忠(ちゅう)「収穫」、日本画の横山大観(たいかん)「絹本墨画生々流転図」などが、一九六七(昭和四二)年に重要文化財に指定されるようになる。最近では、速水御舟(はやみぎょしゅう)「紙本金地著色名樹散椿図」や、上村松園(うえむらしょうえん)「序の舞」など、昭和期の作品も指定されるようになってきたが、近・現代に制作された作品を指定対象にまで持っていくには、まずその時代における文化財の価値の基準を文化財保護法の枠内でどこに置くかということから始めなくてはいけないため、実際の指定には時間を要することになる。

また、国宝や重要文化財の指定対象かどうかを改めて議論する余地もない特別な価値を持ちながら、文化財指定の枠外にあるものも多数存在する。例えば、奈良の正倉院の宝物は、文化財の対象外である、というと驚く方が多いが、皇室財産や正倉院宝物など宮内庁所管の物件は、陵墓なども含めて基本的に文化財保護法の指定対象ではない。一九九七(平成九)年、正倉院の正倉の建物が、重要文化財・国宝に指定されたのは、古都奈良の世界遺産登録のための構成要素としての必要性に基づく例外的な措置であった。

このように、歴史的、文化的に価値を有してはいるものの、文化財という言葉の枠には入らないものがたくさん存在しているのが現状である。この点に対する理解度の差が、一般的に使われている「文化財」という言葉とのギャップの原因になっているのではなかろうか。

II

「文化財保護法」と日本文化

一 「文化財保護法」誕生まで

この章では、まず明治維新に至るまでの文化財保護を歴史的に俯瞰し、明治維新後の廃仏毀釈の風潮と欧風化の流れに翻弄されながら、文化財保護のためにとられた方策を確認する。つづいて、明治時代初頭から一九五〇(昭和二五)年の「文化財保護法」の成立に至るまでの変遷を文化財保護法前史として概観しておこう。

明治維新から一九五〇年の文化財保護法成立までの八〇年間余の動きであるが、私はこの時期を「文化財保護黎明期」と「文化財保護助走期」と大きく二期に分けて考えている。

「文化財保護黎明期」とは、廃仏毀釈や欧風化の波によって廃れた古社寺の宝物類の散逸や破壊に対して、一八七一(明治四)年に明治政府が発した太政官布告「古器旧物保存方」に始まり、一八九七(明治三〇)年に「古社寺保存法」が制定されるまでの、すなわち一九世紀後半の約三〇年間である。そして、次の「文化財保護助走期」とは、その後、史蹟名勝天然紀念物保存法、国宝保存法などの法制度が少しずつ整いだして、文化財保護の観念が認識されるようになったが、戦争に突入してその改訂もできぬまま終戦を迎えるまで、すなわち、二〇世紀前半の約五〇年間である。

明治維新以前の取り組み

文化財だけではないが、「もの」の保存のルーツとしてまず「高床の倉」を挙げなくてはいけない。日本では弥生時代に多く認められているが、縄文時代からその存在は確認されている。「倉」はもともと「穀物を入れておくところ」という意味を持つといわれるが、奈良東大寺の正倉院の校倉造りや神社建築の神明造りの原型と考えてよい。一方、「蔵」は「大事なものをかくしてしまいこんでおくところ」といった意味合いを持ち、厚い土壁を持つ耐火構造で、大事なものの格納に使われる。こちらは、鎌倉時代初期あたりから出現し、江戸時代に家財の収蔵庫として完成形をみる。近世の街並みを考える上でも外せない建造物の一つである。

高温多湿の日本の気候の中で、文化財を保存する大敵は、虫害と湿気によるカビなどの生物被害であるため、収蔵施設として蔵を維持するために、曝涼と呼ばれる定期的な虫干しが行われた。奈良の正倉院では現在でも曝涼が行われ、この時期を利用して奈良国立博物館において毎年「正倉院展」が開催される。すなわち、保存と公開という文化財保護の原点が日本では古くから年次行事として行われてきているのである。

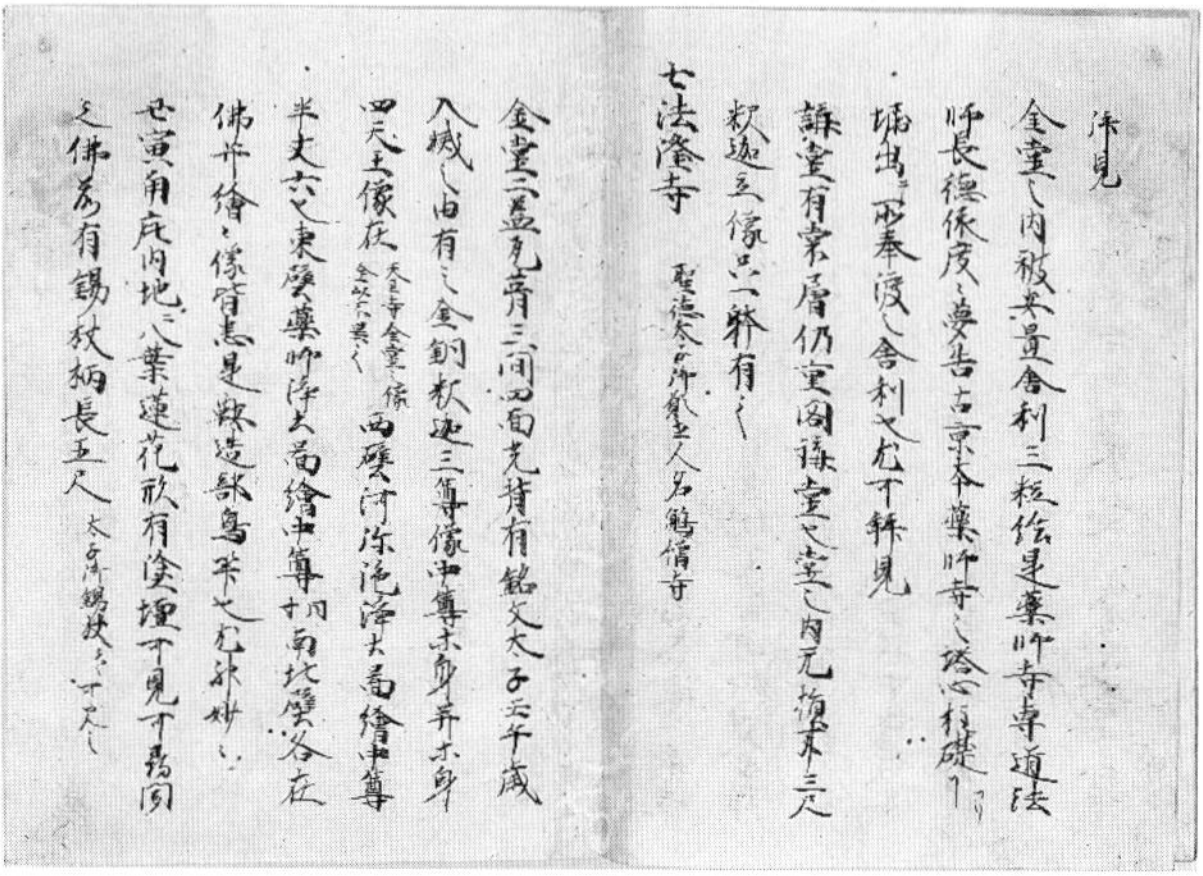

図II-1　大江親通撰『七大寺日記』(重要文化財，奈良国立博物館所蔵)第16丁裏～第17丁表(薬師寺，法隆寺に関する記述)

近世以前の日本では、文化財は、天皇家を中心とする公家、将軍を中心とする武家、さらに資産家などの家財、または社寺の宝物として代々受け継がれていたが、これらは個人的な継承に委ねられており、文化財保護のための明確な概念もなく、統一的な制度も存在しなかった。

しかし、古代から官が統轄する寺院では、資材の明細をまとめた資材帳が作られ、寺の縁起とともに、敷地建物・仏像・経典・雑具などの他、これが資材かと思われるものまでが詳細に記されている。また、平安時代、大江親通（おおえのちかみち）が一一〇六(嘉承元)年と一一四〇(保延六)年の二回にわたって奈良にある東大寺・興福寺・元興寺・大安寺・西大寺・薬師寺・法隆寺の七寺の巡礼を行ったときの記録である『七大寺日記』(図II-

1)、『七大寺巡礼私記』には、それぞれの寺の詳細が記されている。

また、例えば、一八世紀には、主に刀剣に限られるが、徳川吉宗の指示による編纂といわれる『享保名物帳』や、吉宗の孫にあたる松平定信の編纂となる『集古十種』(一八〇〇(寛政一二)年頃)によって、全国的に有名な古器、古画、古書などの約二千点の宝物が集成され、一〇の分野に分類し、所在、寸法とともに画家・谷文晁などに描かせた模写とともに編まれるなど、古器旧物に対する有識者の関心は高かったといえよう。松平定信は『集古十種』の続編として『古画類聚』も編纂した。これは、奈良時代以来の絵画作品とその摸本類、肖像画、彫刻などの図様を写し取り、これらを主題別に再編成したもので、取り上げた作品は四〇〇を越え、図様の総数は二六五〇ほどの場面にのぼる。江戸時代のこの時期に取り上げられるものはすべて網羅されているといっても過言ではなかろう。現在ではすでになくなってしまっているものや他に資料の無い貴重な文様も残されている。これら貴重な文献資料が、明治時代以降に行われた文化財悉皆調査において重要な基礎資料になったことは間違いないだろう。

また、社寺も伽藍維持の修理経費等の調達を目的に、宝物の公開展示、すなわち出開帳(でがいちょう)を行うこともあった。江戸両国の回向院(えこういん)において、一六九四(元禄七)年、一八四二(天保一三)年の二度にわたって開催された法隆寺宝物出開帳はその代表的事例である。これによって、将軍徳川綱吉をはじめ多くの人が法隆寺に寄進することになった。まさに、寺宝の公開で経済効果を狙った「文化財活用」の原点といえるだろう。

江戸から明治へと移ろうとする一八六七(慶応三)年、パリで開催された第二回パリ万国博覧会に江戸幕府とともに、薩摩藩、佐賀藩の三者が参加出品したのも、出開帳の発展形とみてよい。明治時代以降、日本は万国博覧会に頻繁に参加し、工芸技術の振興に大いに役立てた。ここ最近でも、京都、奈良の大きな寺院の特別展が行われている。二〇二三(令和五)年、東京、京都の国立博物館において、「東福寺展」が巡回開催された。

以上、概観したように、日本では統一的な規範はないものの古来大事なものを守って次世代に伝えるということが自然に受け継がれ、しかも文献資料として記録に残されてきたわけである。そして、文化財を適宜公開することによって経済効果も生み出してきた。「保存と活用」という文化財保護の基本が特に意識されることもなく自然な流れの中で実践されてきたといえる。

黎明期——一九世紀後半の取り組み(一八七一~一八九七年)

日本は江戸時代から明治維新を経て、近代国家の仲間入りをするわけだが、文化財の保護に関しては、明治維新前後からたいへんな状況に陥った。廃仏運動の機運はすでに幕末から一部の地方では認められていたが、一八六八(明治元)年三月に、神道の国教化政策のため出された太政官布告「神仏判然令(しんぶつはんぜんれい)」を契機に、神仏分離の動きが廃仏毀釈として全国的に一気に広がり、仏教を中心とする伝統文化の否定へと展開した。寺院は困窮し、仏像や財宝などは散逸、建造物なども破壊される事態に直面した。さらに、西洋化の波もそれに拍車をかけ、伝統文化自体が壊滅的な打撃を受けた。社寺などの宝物が外国人に売り渡され、これらが海外へ持ち出されることも大きな問題になった。

このような事態に対して、明治政府は、一八七一(明治四)年五月二三日に、全国各地の「古器旧物」を祭器、古書画、衣服装飾等三一の品目に分類して保全し、品目及び所蔵者を記載して提出するよう命じる太政官布告を発した。なお、この古器物を分類した三一の品目は、その後の博物館の列品分類の基準となっている。そして、一八七二(明治五)年には、社寺や華族などの所蔵する古器旧物の本格的な実地調査が行われた。これが、明治政府が文化財保護として初めてとった対策であり、この年の干支に因んで「壬申(じんしん)検査」と呼ばれている。この検査は、この年に開催した文部省博覧会の出品物考証に備えることに端を発し、現在の東京国立博物館の創設に携わった町田久成や蜷川式胤(にながわのりたね)が企画をし、約四ヵ月にも及ぶ調査も自ら実施した。また、文部省の内田正雄のほか、翌年の一八七三(明治六)年のウィーン万国博覧会出品準備のため、博覧会事務局より画家の高橋由一、写真家の横山松三郎らも同行し、スケッチ、拓本、写真などによる詳細な記録が残されており、その後の文化財保護の基礎資料として重要である。

一八七九(明治一二)年五月、印刷局長の得能良介(とくのうりょうすけ)は、お雇い外国人のキヨッソーネや印刷局職員を伴い、約一四〇日間に及ぶ古美術調査を実施した。その調査の成果は、『国華余芳(こっかよほう)』にまとめられ、明治一四~一五年に多色石版図集及び写真帖として印刷局より発行された。これには、今では失われてしまった古器物などの図版も収められており、当時の状況を知る貴重な記録となっている。

日本の古美術鑑賞において、先駆的であり、啓発的な刺激を与えたフェノロサが、東京大学お雇い外国人教師として赴任したのが、一八七八(明治一一)年である。来日後、日本美術のすばらしさに傾倒した彼は、一八八四(明治一七)年には、文部省の関西古社寺調査団の顧問として、その弟子である岡倉天心(覚三)らとともに、奈良、京都を中心に古社寺の宝物調査にあたった。フェノロサや岡倉天心たちは、精力的に日本美術の保存の重要性を説き、一八八八(明治二一)年に、臨時全国宝物取調局が宮内省に設置され、各地に調査員を派遣して美術品の鑑査と登録を行った。

取調局の委員長には、宮内省図書寮附属博物館（東京国立博物館の前身）を統括していた九鬼隆一があたり、約一〇年にわたった活動に関わる簿冊・ガラス乾板・紙焼付写真など五千点を越える資料が東京国立博物館に残されている。これらの資料は文化財保護の歴史を伝える貴重な資料群として、二〇一六（平成二八）年に重要文化財に指定された。

この一連の調査によって、京都、奈良の社寺には特に優品が残されているが、その多くが散逸や破損の危機に瀕していることが把握され、その保存を掌る施設の必要性を要望する声が強くなった。このような状況を受けて、一八八九（明治二二）年に宮内省は、図書寮附属博物館を帝国博物館（現・東京国立博物館）に改めるとともに、一八九五（明治二八）年に帝国奈良博物館（現・奈良国立博物館）、一八九七（明治三〇）年に帝国京都博物館（現・京都国立博物館）を開館するに及んだ。そして同じく一八九七年に「古社寺保存法」が制定された。

明治維新から三〇年の年月を経ると、文化財や美術工芸を取り巻く日本の状況にも変化が生じてきた。対外的には、一八九四（明治二七）年に起こった日清戦争などによる国威高揚の風潮、また日本が初めて参加した一八六七（慶応三）年の第二回パリ万博以来順次開催される万国博覧会には伝統的な技法を受け継いだ金工品や漆芸品を出展し、数々の受賞を獲得することにより、日本の美術工芸品に対する自負も生まれ、その存在に眼を向ける機運も生まれてきた。もちろん、その背景には、フェノロサや岡倉天心などによる古社寺保護に対する啓発的活動が大きく寄与している。また、建築方面では古建築研究の建築学者・伊東忠太などの貢献も忘れてはならない。

助走期――二〇世紀前半の取り組み(一八九八〜一九四九年)

一九一九(大正八)年に「史蹟名勝天然紀念物保存法」、そして、一九二九(昭和四)年に「国宝保存法」、一九三三(昭和八)年の「重要美術品等ノ保存ニ関スル法律」と、文化財保護に関する法制の整備が順次行われた。この時期をもって「文化財保護助走期」とする。

「古社寺保存法」では、社寺の建造物や宝物類の中から歴史の象徴または美術の模範となるものを「特別保護建造物」または「国宝」として指定し、その保存経費について国が一定枠内であるが補助する一方で、社寺等には宝物類の管理及び博物館展覧のための出品を義務付けることになった。また、宝物類の売却や海外流出を禁止する法的な制度が設けられた。同法による文化財保護の基本的姿勢は我が国の文化財保護制度の原型をなすものといえよう。

また、同法により、文化財の保存・修復に対する財政的な支援を保証するとともに、宝物類の売却や海外流出の規制という、国による指定文化財に関する管理、規制による保護がなされるようになり、古い建築物や仏像等の修理修復への本格的な取り組みが始まった。しかし、国や府県または個人の所有物は法律の対象外とされ、保存措置が講じられないなどの課題も残されることとなった。「古社寺保存法」は、一九二九年の「国宝保存法」の制定によって廃止されるまで、明治・大正期における文化財保護の基本政策となった。

一九一九年には、「史蹟名勝天然紀念物保存法」が制定された。一九世紀末期の日清戦争、それに続く日露戦争の勝利などがもたらしたナショナリズムの高揚なども背景に、鉄道の布設、道路の拡張、工場用地の拡大などが始まり、二〇世紀に入って近代化が急速に進展したが、それに伴い破壊の危機に晒される「史跡」、「名勝」や「天然記念物」を保存すべき対象とする同法が制定されることになった。「史跡」としては、「都城阯、宮阯、行宮阯、其の他皇室に関係深き史蹟」など、皇国史観に基づく史跡が優先的に扱われているが、このような人工的に形成されたものと、「天然記念物」として、動物、植物、地質鉱物などの自然物とを、同じ法令の中で保護対象の資産として扱うことは世界的にみても当時、画期的なことであった。また、文化的景観にあたる「名勝」を保護対象に加えた先駆的な法令としても評価されている。

「古社寺保存法」の保護対象は、文字通り古社寺所有の物件に限られたため、先にも述べたように、個人所有の文化財の海外流出の阻止や、国や公共団体所有物の保護に対しては不備であった。このような事態に対応するために、一九二九(昭和四)年に「国宝保存法」が新たに制定され、「古社寺保存法」は廃止されることになった。国宝保存法によって、社寺の所有物以外の建造物、例えば江戸幕府崩壊以来放置されていた城郭なども新たに指定され、保護の対象となった。ただし、明治維新以降のものは特別な理由のあるもの以外は当分指定対象とはしないとした。

国宝の国外輸出や植民地への移出は原則として禁止され、さらには現状変更に対しても許可制をとることとした。また、「古社寺保存法」同様、国宝の所有者に対しては、帝室、官立、公立の博物館または美術館への一年以内の出陳義務が課された。これが、のちの「文化財保護法」における文化財の「活用」概念の伏線になる「公開」としてよいだろう。

国宝保存法の制定により、国宝指定された物件の輸出は防ぐことはできたが、未指定物件の海外流出は続いた。特に、国宝級の「吉備大臣入唐絵巻」(四巻)が未指定であったため、一九三二(昭和七)年にボストン美術館が購入することになり、大きなニュースとなった。この事件を契機に、翌年の一九三三(昭和八)年に、未指定の重要物件の海外流出を防止する「重要美術品等ノ保存ニ関スル法律」が制定されることになった。この法令は、一九五〇(昭和二五)年に「文化財保護法」の制定によって廃止されたが、その後も重要美術品として認定されたものは、輸出の規制対象として扱う措置がとられている。

以上、二〇世紀前半の「文化財保護助走期」を、その間に制定された法令を中心に辿ったが、第I章の二節にも述べたように、この段階では「文化財」という言葉も概念もまだ存在せず、建造物、美術工芸品、史跡、天然記念物などが、それぞれ個別に扱われている。しかし、この時期の個別の分野に対しての対応は、一九五〇年の「文化財保護法」の成立にあたって初めて法令において登場する「文化財」という大きく包括する言葉に集約するための準備と捉え、「文化財保護助走期」としたわけである。

実際には、助走を始めたものの本格的に加速するどころか、第二次世界大戦という日本史上最大のターニングポイントを迎え、一時的に失速せざるを得なかった。しかし、その分岐点の前後で社会体制などあらゆるものが劇的に変化した中、普遍の価値を持つ文化財をいかに守るかというたいへん大事な課題に改めて取り組むことができたのもこの「助走期」があったからである。そして、「文化財保護法」の制定をもって新たなスタートを切ることができたのである。

二　「文化財保護法」の歴史と未来

第一期——戦後復興から高度経済成長期へ（一九五〇〜一九七四年）

第一節で制定に至るあらましをみたが、一九五〇（昭和二五）年に議員立法として制定された「文化財保護法」はすでに約七五年の歴史を持ち、何度かの改正が重ねられて現在に至っている。これらの改正時期を軸に、「文化財保護法」を二〇〜二五年ごとの大きな区切りで俯瞰してみると、少々のタイムラグはあるものの、日本の社会情勢や経済状況、さらには文化行政の変化などを反映した変遷を経てきていることがみてとれる。

文化財保護法によって、戦前の「国宝保存法」が保護対象とした歴史上、美術上価値の高い建造物、宝物、さらに「史蹟名勝天然紀念物法」が保護対象とした史跡名勝天然記念物など、それまで個別に扱ってきた分野を「文化財」という包括的な言葉の下にまとめたことはすでに述べたが、文化財の国指定も従来の指定制度を踏襲しつつ、有形文化財に対しては、重要なものを重要文化財とし、その中で特に重要なものを国宝とする二段階制が導入された。史跡名勝天然記念物に対しても同様に、特に重要なものを特別史跡、特別名勝、特別天然記念物と二段階の指定制度とした。また、文化財の概念に新たに「無形文化財」を加えるとともに、「埋蔵文化財」も保護の対象として明記した点にも注目される。

なお、文化財保護法を運用する専門的な行政機関として文化財保護委員会が設けられ、文部省の外局に位置づけられた。

制定後間もない一九五四(昭和二九)年には第一回目の改正が行われ、無形文化財にも指定制度を導入することになった。「無形文化財」は、演劇、音楽、工芸技術、その他の無形の文化的所産で我が国にとって歴史上または芸術上の価値の高いものとし、無形文化財は人間の「わざ」そのものであり、具体的にはそのわざを体得した個人または個人の集団によって体現されることから、特に重要なものを重要無形文化財に指定した。同時に、これらのわざを高度に体現しているものを保持者または保持団体に認定することになった。こうして認定された個人が、いわゆる「人間国宝」と呼ばれるようになった。一九五五(昭和三〇)年に認定・指定された「人間国宝」の第一回目には、伝統工芸では、陶芸分野の富本憲吉(とみもとけんきち)、石黒宗麿(むねまろ)、濱田庄司(しょうじ)、荒川豊蔵、漆芸分野の松田権六(ごんろく)などの他、染織、金工などに卓越した工芸家が選ばれた。また、芸能では、歌舞伎の七代目坂東三津五郎(みつごろう)らが指定を受けた。

また、この時の改正では、有形文化財の中に含まれていた民俗資料を独立したカテゴリーとみなし、埋蔵文化財や史跡名勝記念物に対しても、定義を明確にするとともに、土地開発などに対しても規制を強化することを図った。

戦後復興期としての一九五〇年代を経て、一九六〇年代に入ると、高度経済成長の波に乗って、第一八回オリンピックが東京で開催され(一九六四(昭和三九)年)、さらに終戦二五周年記念として、「人類の進歩と調和」をテーマに世界七七ヵ国が参加した大阪万国博覧会が、戦後わずか二〇年余りで、アメリカに次ぐ世界第二位の経済大国となった日本の象徴的な意義を持つイベントとして開催された(一九七〇(昭和四五)年)。

文化財保護法にとって、この間の大きな出来事は、一九六八(昭和四三)年に文化庁が誕生したことであろう。これに伴い、行政的な事務が文化財保護委員会から文化庁に引き継がれることになった。文化財保護委員会の有した権限の内、文化財の指定及び指定解除の権限は文部大臣に委ね、その他の権限は文化庁長官が担うことになった。そして、新たに文部省に諮問機関として文化財保護審議会が設けられることになった。

戦後日本が復興期を経て、急激な経済成長を遂げたこの時期において、文化財保護の骨格が形成されたといってよいだろう。

第二期――安定成長期から長期低迷期へ（一九七五〜二〇〇〇年）

第一期の二五年において、高度成長期を経て安定成長期に入り、世界第二位の経済大国となったこの時期の日本では、日本で生産された工業製品としての「モノ」が高く評価され、世界中を席巻した時代、すなわち日本のモノづくり全盛期であった。

このような社会的、経済的な状況下で、日本国内の社会構造も大きく変化し、当然ながら第一期で骨格が形成された文化財保護法を取り巻く環境も一変した。特に急激な土地開発事業の拡大に対応するために、埋蔵文化財の保護の強化が必要となった。また、都市開発に伴う大都市への人口集中や地方都市における生活様式の変化に伴い、伝統的な街並みなどの景観が大きく変貌することを食い止めるため、建造物を単体ではなく集合体として保護することを目的とした伝統的建造物群保存地区の制度が、一九七五(昭和五〇)年に新たに設けられた。地方の過疎化の進行に伴う伝統行事の担い手不足による民俗芸能などの衰退も深刻であるため、「民俗資料」を「民俗文化財」に改め、有形、無形の民俗文化財に対しても指定制度を設けることになった。

さらに、この時期に浮上した問題として、有形文化財に対する修理や無形文化財で使用する道具類を制作する伝統技術の担い手の不足がある。文化財の修理に必要な技術者の確保と、修理に必要な材料と道具の確保のために、「選定保存技術」の保持者、そして保存団体を確保する目的で、文化財保存技術の保護制度も改めて設けることになった。

さらに、一九九六(平成八)年に、新たに「文化財登録制度」が導入されたことに注目しなければならない。これは、都市部の再開発が進む中、建て替えによって明治期以降の近代建築が全国各地で姿を消していくことへの対策として登場した。この登録制度は、文化財指定制度を補完する制度であり、届出制を基本とする緩やかな保護措置であり、当初は有形文化財のうち建造物が対象であったが、二〇〇四(平成一六)年には、より多くの文化財を守り、地域の資産として活かすことを目的とし、有形の民俗文化財、記念物及び重要文化財(美術工芸品)にも拡大された。文化財登録制度は、その後も文化財保護法の中で重要な位置を占めることになる。

第三期——文化行政変革期(二〇〇一～二〇一八年)

一九八〇年代後半には好況であった日本経済も一九九〇年代初めにバブルが崩壊して以降、長期の低迷に陥る。経済成長の鈍化に加えて、少子高齢化も進む中、日本は景気後退が進み低迷時代に突入することになる。このような状況を打破することをめざして、縦割り行政の弊害をなくし、内閣機能の強化、事務および事業の減量、効率化を図る目的で、二〇〇一(平成一三)年に中央省庁の再編が行われた。文部省は科学技術庁との再編により文部科学省となり、文化庁は引き続きその外局に位置づけられた。この時期には、文化行政を巡る法制的な変化もたいへん目まぐるしいものがあり、文化財保護法の置かれた環境にも大きな変化が生じた。特に、二〇〇一年に、議員立法として制定された文化政策、文化芸術振興に一義的な意味を持つ「文化芸術振興基本法」(現・文化芸術基本法)の下に文化財保護法が組み込まれることになったことも大きな変化の一つである。

戦後最初の文化法として、日本国憲法制定後に議員立法によって制定された文化財保護法は、明文化されてはいないが、教育基本法との兼ね合いが強かったといってよいだろう。敗戦の焼け野が原の中で、新たに「文化国家」をめざすためには、残された文化財を体系的に保存し公開していく必要があり、それがその当時の文化財保護のめざすところであった。文化財保護行政の根幹は、都道府県の教育委員会の職務とし、教育の枠組みの中で保存と活用の実践が行われることになった。その背景として、戦後の混乱期では、文化財の価値を享受するのは所有者だけであるという考えがまだ主流であり、突然登場した「文化財」という言葉が含んでいる国民の財産という重要な概念を国民一般が広く共有するまでには至っていなかったことがあるだろう。そこで、まず指定制度を確立し、教育の場において、文化財の価値の共有化を図るとともに、博物館などで指定品の公開を促すことで国民的財産としての文化財の存在に対する啓発を行うことが目的であったと考えてよい。文化財の活用における公開の場として位置づけられた博物館も、日本国憲法→教育基本法→社会教育法→博物館法と明確に教育基本法の中に組み込まれた社会教育施設であり、文化財保護法は、教育基本法を中軸とした教育の分野に組み込まれた形で運用されてきたのである。しかし、一九九〇年代後半あたりから、文化財が持つ別の側面、地域社会における精神的な支えでもある文化財を地域の誇りとして観光面で利用し、文化財の持つ経済的な価値を活用しようという機運が生まれてきた。すなわち、文化財に新たな活用を求めるには、教育分野だけではなく、さまざまな省庁、部署の連携が必要になるわけである。

ちなみに、二〇〇一(平成一三)年には、文化庁管轄の国立博物館や国立文化財研究所などが独立行政法人化され、また教育基本法自体も二〇〇六(平成一八)年に改正され、それぞれの役割の明確化がなされている。

二〇〇四(平成一六)年の改正によって、文化財保護法の対象として、文化的景観が加えられたこともこの流れの一環として捉えてよいだろう。もともと個々の文化財を点として保護していたが、伝統的建造物群保存地区というように面的な網が掛けられ、さらに、地域全体を包括した景観という空間にまで保護の対象を拡大したことになる。景観という空間が対象となると、必然的に地域全体の取り組みが必要となり、行政的には教育委員会以外のさまざまな部局を越えた連携と協力関係が必要となる。

ちょうどこの頃、私は、世界遺産登録をめざしていた島根県大田市にある石見銀山遺跡の調査に関わっており、島根県の「石見銀山遺跡世界遺産一覧表記載推薦書作成委員会」(二〇〇四~二〇〇六年)の一員を務めていた。推薦書作成の途中から、文化庁の要請でタイトルに「文化的景観」を加えることになり当初少々戸惑いはあったが、最終的に「石見銀山遺跡とその文化的景観」とすることになった。石見銀山は、一六~一七世紀初頭の大航海時代に世界の経済や文化の交流に大きな影響を与えた日本を代表する鉱山であり、銀を生産していた時の坑道や工房の跡が、石見銀山遺跡として現在でもよく残っており、さらに銀を運んだ街道や銀を積み出した港もよく残り、鉱山町や港町には今でも人々の暮らしが息づいている。このような地域全体の過去から現在までの営みをも含めたものが「文化的景観」と言えるのであろう。なお、日本の世界遺産の中で、資産名に「文化的景観」を謳っているのは石見銀山遺跡だけである。

二〇〇七(平成一九)年には、独立行政法人の再編成が行われ、国立博物館と文化財研究所が統合され、国立文化財機構が生まれた(二〇〇八(平成二〇)年、私は奈良文化財研究所から京都国立博物館へ異動し、文化財保存修理指導室長を務めることになった）。

二〇〇六（平成一八）年には、観光立国推進基本法が制定され、その規定に基づき、観光立国の実現に関する施策を総合的かつ計画的に推進し、国民経済の発展、国民生活の安定向上、及び国際相互理解の増進を図るため、二〇一七（平成二九）年には、新たな観光立国推進基本計画が定められることになる。ここでも、文化財は観光資源としての積極的な保存と活用が謳われている。このように、文化財の活用を巡っては、従来の文化財保護法の枠組みを越えて議論が活発化し、さまざまな提案がなされるようになった。

地域に点在する文化財を個々に指定するだけではなく、面的、空間的に効果的な保存・活用を図り、文化財をそのカテゴリーを越えて総合的に把握し、それらを一定のテーマやストーリーとして捉えるという趣旨の下、二〇一五（平成二七）年に「日本遺産」の認定が始まり、この日本遺産を推進する上で、「文化財は保存から活用へ」と積極的に強調されることになる。文化財の活用については、次章で取り上げるが、文化行政の変革の中で、従来の文化財保護法の枠を越えた新たな文化財保護が顕在化した姿をみることができる。

さらに、二〇一三（平成二五）年に、二〇二〇（令和二）年予定の第三二回オリンピック競技大会の開催地が東京に正式に決定され、二〇二〇年に向かって、インバウンド効果を期待した観光立国をめざすことになる。その中で、文化財を経済的価値のある観光資源と捉え、積極的にインバウンドの対象として活用しようという方向性がはっきり打ち出されることになる。

二〇一七年には、文化芸術振興基本法の一部改正に伴い、名称が「文化芸術基本法」に変更された。ちなみに、文化財保護は、その第一三条に位置づけられている。

> 「文化芸術基本法」第一三条（文化財等の保存及び活用）
> 国は、有形及び無形文化財並びにその保存技術（以下「文化財等」という）の保存及び活用を図るため、文化財等に関し、修復、防災対策、公開等への支援その他の必要な施策を講ずるものとする。

第四期――未来に向けて（二〇一九年〜）

二〇一八（平成三〇）年、文化庁は創設五〇周年を迎えた。そして、翌年の二〇一九年九月には、京都において国際博物館会議（ICOM Kyoto 2019）が開催され、持続可能な博物館など新しい博物館像が提言された。同じ二〇一九年四月には、「文化財保護法及び地方教育行政の組織及び運営に関する法律の一部を改正する法律」が施行されるなど、「文化財保護法」も新たな時代を迎えることになる。過疎化・少子高齢化などを背景に、地域における文化財継承の担い手が著しく減少していることから、文化財の滅失や散逸等の防止が緊急の課題であり、未指定を含めた文化財をまちづくりに活かしつつ、地域社会総がかりで、その継承に取り組んでいくことが必要とされた。地域における文化財の計画的な保存・活用の促進や、地方文化財保護行政の推進力の強化を図ることがその改正の趣旨である。

この改正では市町村は、都道府県の大綱を勘案し、文化財の保存・活用に関する総合的な計画を作成し、国の認定を申請できることや、文化財所有者の相談に応じたり調査研究を行ったりする民間団体等を文化財保存活用支援団体として指定できることなどが新たに定められた。また、文化財保護法と同時に「地方教育行政の組織及び運営に関する法律」も一部改正され、地方公共団体において教育委員会の所管とされている文化財保護の事務を、条例により地方公共団体の長が担当できることとした。

二〇一八(平成三〇)年には、「文部科学省設置法」が一部改正され、文化庁の京都移転に向けて、新文化庁にふさわしい組織改革をめざすとともに、文化に関する施策の推進が打ち出された。これまで一部を文部科学省本省が所管していた博物館に関する事務を、文化庁が一括して所管することにより、博物館の更なる振興と行政の効率化を図るなど、文化に関する施策を文化庁が中核となって総合的に推進していく体制を整備する方向性が示された。

これらの施策も、二〇二〇(令和二)年に開催予定であった東京オリンピックに向けて好調に伸びてきたインバウンドの効果のさらなる拡大を想定し、その後の展開に対応したとしてよいだろう。しかし、二〇二〇年の年頭に、コロナ禍が突如浮上したことはまさに想定外であった。予定された東京オリンピックも延期され、博物館や美術館も一時期完全に閉館せざるを得ない事態が生じた。

その後しばらく全世界的にコロナ禍への対応のため、社会全体の沈滞状態が続いたが、二〇二三(令和五)年に入る頃から鎮静化が認められるようになった。with コロナからようやく after コロナの兆しが見え始め、三月末には文化庁の京都移転が本格的に始動した。そして、二〇二三年四月には、約七〇年ぶりに一部改正が成立した博物館法が施行され、新たな博物館の取り組みが始まった。

教育基本法↓社会教育法↓博物館法という従来からの位置づけは変わらないが、新たに「及び文化芸術基本法の精神に基づき」という文言が付加された。博物館の充実は、「文化芸術に関する基本的な施策」として、文化芸術基本法の中で位置づけられ、博物館活動が、文化芸術により生み出された価値の継承・発展や、新たな文化芸術の創造において役割を果たすことを期待している。デジタル・アーカイブ化の促進、地域における博物館同士のネットワークの強化とともに、博物館が地域のまちづくり、観光などのさまざまなニーズと連携し、多様な価値を生み出す場となることを期待している。このような方向性にどのように対応していくかは今後の課題として、文化財保護の観点においても、京都に新たな拠点を設けた新文化庁のこれからの取り組みと牽引力の発揮に大いに期待するものである。

三 「災害頻発時代」の文化財——未来に向けた取り組みを

文化財を襲う災難

現代の日本において、田園風景が残る地方の村だけではなく、都市化の進んだ都会の街並みにおいても、探せば至るところに文化財を見出すことができる。狭義の指定文化財だけではなく、広義の未指定文化財も含めると、日本は文化財の宝庫と言ってよい。さまざまな時代に生きた人たちの生活の痕跡が重層して残っており、その証としての文化財がさりげなく佇んでいる。しかし、今まで残っている文化財は、実際には幾多の災難を乗り越えていることを忘れてはいけない。

建造物や、さまざまな美術・工芸品としての文化財はもとより、生活雑器に至るまで、日常の営みの中で劣化して自然に消えていくことは当然であるが、必然性が無いのに突然消失してしまう要因としてまず挙げられるのが、地震、風水害などの自然災害である。

さらに、自然災害だけではなく、人為的な災害も文化財消失の大きな原因である。過去の歴史を振り返ると、戦争による被害は枚挙にいとまがない。奈良東大寺の大仏殿は戦火で二度も焼失し、現在の京都の寺社の多くも応仁の乱などで焼失後、再建されたものである。また、第二次世界大戦末期には日本列島の多くの都市でアメリカ軍による空爆を受け、廃城令を乗り越えて生き残った名古屋城、広島城などの城郭や、二〇六棟にのぼる国宝建造物が焼失した。戦争被害ではないが、鹿苑寺金閣が放火によって消失したことも人為的な災害の事例である。

戦争ではない人為的な文化財破壊行為としてとりあげなくてはいけないのが、明治維新に伴う「廃仏毀釈」のムーブメントである。先に述べたように、一八六八(明治元)年、太政官布告「神仏判然令」を契機に、「神仏分離」の動きが「廃仏毀釈」として全国的に一気に広がり、寺院の多くは困窮し、仏像や財宝などは散逸、建造物なども破壊される事態に直面した。

例えば、奈良興福寺も大きなダメージを受けた。もともと春日大社と一体で、「神仏習合」の姿をとり、たいへん隆盛を誇っていたが、廃仏毀釈によって多くの建物が壊され、寺域も大

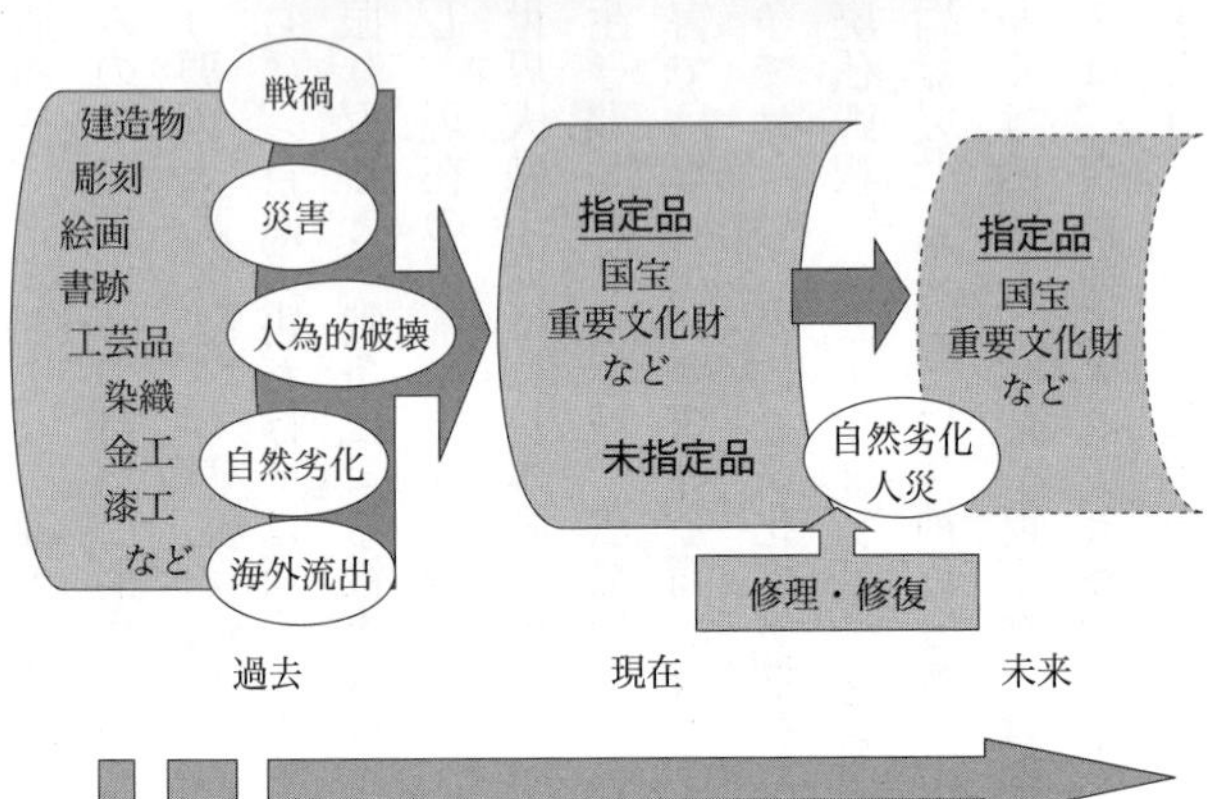

図Ⅱ-2　文化財継承の概念図(著者作成)

き く縮小した。現在では代表的な国宝である五重塔は、当時二五円で払い下げられ、金属類を取り出すために解体しようとされたという。

そして、廃仏毀釈は、多くの寺院から仏像などの文化財が海外に流出する契機にもなった。このような事態を食い止めるために、明治政府が文化財保護法の前身となる法整備を行ったのが文化財保護の黎明期であることはすでに述べた。

文化財保護法は、さまざまな災害から文化財を守り、次世代に伝えることを目的に、一九五〇(昭和二五)年に成立した。しかし、その保護の対象は狭義の文化財である「指定文化財」であり、広義の文化財としての「未指定文化財」にまで及んでいないのが現状である。図Ⅱ-2

に示したように、現在も大事に守られている指定文化財は、未来でもしっかり守られるだろう。しかし、指定には至っていない膨大な数の未指定文化財の未来の姿がどのようになっていくのか、何ら保障することができないのが現状なのである。

自然環境と共存してきた日本の土蔵

天災や人災など、さまざまな災難を乗り越えて生き残ってきた日本の文化財を守ってきた日本人の知恵にも触れておく必要がある。

千年近く都が続いた歴史都市京都の旧家では、季節ごとに床の間を飾る軸物の絵画や屏風、漆器などの折々の年中行事に用いる調度品などは、平素は邸内の土蔵に箱に入れて収蔵されており、必要な時に持ち出されて使用したのち、また土蔵に返される。

京都の長い歴史の中で、多くの美術工芸品がこれまでどのように保存され継承されてきたかを検証するべく、立命館大学グローバルCOEプログラム「歴史都市を守る「文化遺産防災学」推進拠点」の連携協力のもと、代表的な旧家の歴史的建造物内にある土蔵内の温湿度などの環境測定を実施する機会を得た。測定に協力をいただいたのは、いずれも重要文化財に指定されている公家屋敷の冷泉家と京町家の杉本家である。江戸時代の建造である土蔵内部（土蔵内に置かれた箱〔長持〕の中も含む）に数ヵ所と居室の温湿度、さらには外気では温湿度と大気圧を、二〇一〇（平成二二）年三月から翌年五月までの一年以上にわたって多点同時計測し、比較検討を行った。その結果、四季折々の平均温度の変化は、どの場所でも同じように観測されたが、土蔵の特徴が出たのは湿度である。平均湿度は年間を通して外気や居住空間からやや高めではあるが比較的安定していることがわかった。

これらの温湿度データを日較差（一日の中で生じる最高値と最低値の差）で整理すると、土蔵の特徴が明確に見えてくる。われわれも経験的に知っていることだが、特に春先は朝と昼の寒暖差が大きく、温度が極端に変わる季節である。外気で朝昼の差が二〇度近くなる日でも、土蔵の中では五度程度の上昇しか認められない。また、外気中においては湿度の変動幅が七〇%に近くても、土蔵内での変動は緩やかで、特に箱（長持）の中はほとんど変動が認められなかった。

紙などの脆弱な文化財にダメージを与えるのが湿度の急激な変化であるが、土蔵の中ではその影響はほとんど心配ないことがわかった。さらに、土蔵の扉を開けると、土蔵内の温湿度に変化が生じるが、扉を閉じると短時間で元の安定な状態に戻る復元力も大きいことが計測の結果としてわかった。また、厚い壁を持つ土蔵は火災にも強い耐火力も備えていることが別の実験からもわかっている。夏は蒸し暑く、冬は乾燥して寒い、さらには春に温湿度が乱高下する京都の気候の中で、土蔵の中で文化財を箱に収めて保管することがたいへん有効な文化財保存手段であることを実証することができた。

土蔵は、電気的なエネルギーを使って強制的に温湿度をコントロールすることもなく、長い年月にわたって文化財を保存することができる環境にやさしいシステムであり、まさに先達の知恵の結実であることをこの調査は改めて教えてくれた。

しかし、ここで見落としてはいけないのは、両家の土蔵が「生きている」ということである。土蔵の内部の湿度は一年を通じて安定しているが、少々高めであることは述べた。温度は、四季折々に緩やかながら変化するので、土蔵内が高温多湿となり、カビや虫が発生するのに適する困った環境になる時期が必ず周期的に到来する。その時期の天気の良い日に、土蔵の窓を開け、空気を循環させる「目とおし、風とおし」や、いわゆる「虫干し」の作業が、定期的に行われている蔵が、「生きている蔵」である。そして、その機能をしっかり維持するためには、人手とお金がかかるのである。この作業は、先述のように曝涼とも呼ばれる。

奈良時代から続く正倉院で宝物が健全な姿で伝えられてきたのも、蔵の中で箱(櫃(ひつ))に収められてきたことが大きいのだろう。箱はまた地震から宝物を守る意味でも大事な存在なのであり、これも地震国日本の先人の知恵である。われわれが年に一度、宝物を拝見できる「正倉院展」

は、ちょうど曝涼の時期を利用しているのである。

曝涼の歴史は古い。もとは中国で始まったというが、日本では平安時代から公家や寺社において年中行事化したという。収蔵庫としての土蔵の特性をよく理解した習慣だったのである。

最近、文化財の分野では、IPM(Integrated Pest Management 総合的虫害管理)という考え方がよく登場する。IPMは、農業の分野で人の健康へのリスクと環境への負荷の軽減を目的に、農薬を使わずに病害虫や雑草を適切に防除し、農作物被害を防止することを目的に国際的に提唱された概念であるが、文化財の分野でも、「化学薬剤を使わずに文化財を虫害などの生物被害やカビなどの被害から守る」対策として取り入れられた。日本で伝統的に実施されてきた曝涼は、IPMの原点にあたるともいえる。しかし、曝涼という作業だけが画期的なのではなく、「生きた蔵」と合わせることで初めて文化財の継承保存を成し得たと言ってよいだろう。日本で伝統的に行われてきた「生きた蔵」と「曝涼」のコンビネーション、そしてもう一つ、適切な「修理」の三点セットが、電気的なエネルギーを用いない文化財保存システムとして、極めてSDGs的な方法であったのである。

日本全国各地に残されてきた土蔵は、伝統的な街並みのシンボル的存在でもあるが、最近ではめっきり減ってしまった。土蔵は、長い歴史の中で、日本の文化財を維持してきた貴重な装置であるが、メンテナンスが整った「生きた蔵」なら存在価値は大きい。過疎化した村落に残る蔵のほとんどは今や誰もメンテナンスをしていない「死んだ蔵」になってしまった。「死んだ蔵」の中で、カビに埋もれ、虫に喰われて朽ちていく文化財も多いのではなかろうか。

阪神・淡路大震災――「文化財保護法」の限界

私にとって忘れられない日がある。一九九五(平成七)年一月一七日(火)。当時の「成人の日」は、一月一五日に固定されており、この年は日曜日で、翌日の一六日の月曜日が振替の休日であった。そして、その翌日の火曜日一七日の明け方五時四六分、私の住む奈良でも大きな揺れがあり飛び起きた。阪神・淡路大震災である。

あわててテレビをつけるが、震源地が神戸近辺であることがわかった程度で、なかなか情報が出てこない。この日は朝から勤務先の奈良国立文化財研究所(奈文研)内の研究会であったが、午後あたりから少しずつ被害状況がわかるようになってくる。たいへんな事態が生じているのではないか。私はとにかく博物館・美術館施設の現場がどうなっているのか気がかりだった。関係者に、電話連絡を取るがなかなか情報が入らない。一月二一日、被災地に単身赴いたが、交通機関もマヒしているため、大阪梅田駅から西方面の現地には近づくこともできない。当時は、当然ながら人命救助とライフラインの復旧が第一義的課題であり、文化財レスキューは一般的に関心度が低かったといえよう。現在は、国立文化財機構が新たに設けた文化財防災センターの本部を置き、文化財救済の中核として機能する奈文研であるが、阪神・淡路大震災直後には文化財レスキューに対しての動きはまったくなかった。

私は、仕方なく古文化財科学研究会(現・文化財保存修復学会)の一員として個人的に活動を始めることにした。古文化財科学研究会の対応は早く、運営委員の私も東京の本部に何度も出向くことになった。その中で、学会としては、二月二日に「阪神・淡路大震災文化財救済委員会」を立ち上げ、文化財救済のボランティア募集などを始めることになった。しかし、美術館・博物館や文化財関係の諸学会も含めて何度も協議を重ねる中、このような想定外の事態には一学会レベルの対応ではまったく役に立たないことが徐々にわかってくる。

二月一三日、東京国立博物館において、文化庁を中心に、兵庫県教育委員会、古文化財科学研究会、日本文化財科学会、全国美術館会議、全国歴史資料保存利用機関連絡協議会などの諸団体が一堂に会し、「阪神・淡路大震災被災文化財等救援委員会」(本部・東京国立文化財研究所)が発足、被災一ヵ月目にあたる二月一七日、神戸芸術工科大学に現地での活動本部を置くことになった。これが、日本における本格的な文化財レスキューの原点といってもよいだろう。文化庁管轄の機関（東京、京都、奈良の国立博物館、東京、奈良の国立文化財研究所）も含めて活動に参加することになり、私も奈文研の所員としてただ一人この救援委員会に参画した。

そもそも、私が文化財防災に関心を持ったのは、一九九一年に遡る。アメリカ合衆国スミソニアン研究機構フリーア美術館の客員研究員としてワシントンDCに滞在していた際に、サンフランシスコを訪ねる機会を持った。訪れたデ・ヤング美術館の学芸員から、一九八九年一〇月一七日にカリフォルニア州北部で発生したロマ・プリータ地震による被災状況の説明を受け、その復旧作業を見学した。その際に、地震の多い日本における防災対策について質問を受けたが、日本の建造物は耐震構造に優れているというような適当な返答しかできなかった。

それまで文化財防災に対して関心が薄かった私ではあったが、帰国後の一九九二年、「『文化財の防災科学』のすすめ」という一文を学会（古文化財科学研究会）ニュース・『古文化財之科学通信』45号』に投じ、さらに、デ・ヤング美術館で紹介された、ロマ・プリータ地震による文化財保存施設の被害報告書の著者である小川雄二郎氏（都市防災研究所（当時））を講師に招いて、「博物館・美術館・図書館などの文化財保存施設の地震災害と対策」という演題で、学会主催の研究会を、奈良国立文化財研究所で開催した。しかし、参加者の多くから、「なぜ関西で地震の話をするのか。東京でやるべきでしょう」という声を聞いたことを今でも鮮明に思い出す。

二〇二三年の今でこそ、日本が地震活動期に入っているという自覚を全国民が持っているが、その当時の地震に対する受け止め方としてはそれが一般的な意識であったといってよいだろう。

その中で突如迎えた一九九五年の阪神・淡路大地震。前述したように救援委員会は立ち上がったものの、実際にどのように活動したらよいのかという具体的な指針もなく、手探り状態が続いた。救援委員会の実態は自ら被災場所に出向いて行動するのではなく、救援要請の依頼があれば出動するというものであり、被災文化財の救援活動としては、まだまだ本格的な展開に至るものではなかった。救援委員会は、二〇件ほどの救済実績を挙げて、震災一〇〇日目にあたる四月二七日に委員会としての救援活動を終了し、現地本部を尼崎市立地域研究史料館に移し、救援依頼の窓口は兵庫県教育委員会に置き、必要に応じて委員会が対応することとなった。

このような経緯の中で、学んだことも多かった。救援委員会発足当初の会合では、救援に赴くレスキュー隊の立場の問題、文化財を救済し収容した場合の預り証の発行の問題、資材の調達など具体的な課題の検討はもちろん、文化財救済行為そのものに対する認識の問題も話し合われた。まず、文化財の所蔵者自体が被災者であること、さらに被害調査をする自治体職員自身も被災者であることから、無神経に文化財保護だけを優先した要求をすれば逆に反発を買い、結局熱意が空回りするだけになる危険があるため、慎重に対処する必要性が論じられるなど、まだまだ試行錯誤の連続であった。また、特に悩ましい課題として、救うべき「文化財」とは何か、という基本的な問いかけがあった。

文化庁主導の救援委員会の救援対象は、主に指定文化財およびそれに準ずるものという基準を設けていたが、実際に要請を受けた指定文化財以外のものにはどのように対応するのかという問題があった。さらに、被災当時、神戸市には「文化財保護条例」も指定制度もなく、どこに何があるのかが把握できていない状態であった(「神戸市文化財の保護及び文化財等を取り巻く文化環境の保全に関する条例」は、一九九七(平成九)年三月制定された)。文化財の専門家たちが集まった会合で、「リカちゃん」人形は救済対象かどうかといった真剣な議論が繰り広げられた。

その点、われわれの立ち上げた救援委員会は、同様に文化財救済に臨んだ地元NGO救援連絡会議の文化情報部や、古文書史料の救済活動を主とする歴史資料保全情報ネットワーク(現・歴史資料ネットワーク、略称・史料ネット)が未指定文化財を中心に活動するフットワークにくらべ、その身軽さに欠けていたことも事実である。

しかし、国・県・市町村の行政機関の文化財担当者が一体感を持って活動し、学芸員、美術史家、文化財修理技術者、さらには運送業者などの多くの専門家が、文化財救援という旗印の下に集結した意義はたいへん大きかった。携帯電話もない当時、情報を得る手段は、日中は被災者救援に動員されている地元の文化財関係者との夜中に行う電話交信であり、被災した博物館や美術館などの被災状況をいち早く知らせてくれたのは、美術品専門の運送会社からのFAXであった。

このような状況の中、今後起こりうるこのような激甚災害に際し、いざという時に文化財を守るためにどのように動くのか、そして災害に備えて日頃にどのような対策を講じておく必要があるのか、というようなさまざまな点からまとめておく重要性を強く感じ、関係者によるシリーズセミナー「文化財の防災を考える」を開催しその記録を残すことを企画した(その記録集として、『文化財は守れるのか?—阪神・淡路大震災の検証—』がある)。

第一回「阪神・淡路大震災の教訓—われわれはどう行動したか—」一九九五(平成七)年七月八日　於　尼崎市総合文化センター
第二回「文化財の防災対策」一九九五年一〇月一日　於　福岡市博物館
第三回「多様な災害に備えて」一九九六(平成八)年二月一七日　於　東京都現代美術館
第四回「被災文化財のアフターケア」一九九六年四月二〇日　於　福島県立博物館

各回のセミナーでは、二、三本の基調講演の後、私がコーディネーターを務めて講演者を含めた数名のパネリストによるパネルディスカッションを実施した。開催当時、開催地の福岡や福島では、どうしてここで地震の話などするのかと決まったように問われたが、その後日本列島の各地が活発な地震活動期に入っている現状を考えると、その当時にそれぞれの地で実施したことに意義を感じざるを得ない。

阪神・淡路大震災直後には、われわれの動きだけではなく、個人を含めて、いくつもの団体が個別に活動を行ったが、お互いの動きに対しての連絡網もなく、それぞれの動きを文化財防災として統轄的に束ねるシステムも存在していなかったのが実状であった。日本は、とにかく「災害大国」である。ちょうど一〇〇年前、一九二三(大正一二)年に起こった関東大震災において被災した文化財の調査記録が残されていることを、私自身かなり後になって知ったが、災害大国でありながら、このような情報を共有できる場がないことは大きな問題であろう。そして、災害時に救うべき文化財とは何か、指定文化財だけを救うことでよいのか、という問いかけは明確な解答を見出せないまま私の中でシコリのように残った課題となった。

阪神・淡路大震災を現代の文化財レスキューの原点として位置づけると、その後の日本列島は、大きな地震だけでも、新潟県中越地震、能登半島地震、東日本大震災、熊本地震など、立て続けに起こっており、また風水害など大型の災害も続き、さまざまな災害が活性化する「災害頻発時代」に突入していると言ってよいだろう。その中でも、極めて大きな被害をもたらしたのが、東日本大震災であった。

東日本大震災――未指定文化財が「文化財」に

二〇一一(平成二三)年三月一一日一四時四六分頃、京都国立博物館の文化財保存修理所のデスクで仕事をしていた私は、微小ではあるが軽い揺れを感じた。しばらくして阪神・淡路大震災以来、文化財レスキューをともにしてきた内田俊秀京都造形芸術大学教授(当時)から、「東北でたいへんな地震が発生した」という電話を受け、東日本大震災による揺れだったことがわかり、京都まで届く揺れの規模の大きさに驚いた。三陸沖の宮城県牡鹿半島の東南東一三〇キロ付近で、深さ約二四キロを震源とするこの地震、その規模は一九五二年のカムチャッカ地震と同じマグニチュード九・〇、日本国内観測史上最大規模、アメリカ地質調査所の情報によれば一九〇〇年以降、世界でも四番目の規模の地震である。その後、博物館総務課のテレビでリアルタイムに見た津波が地を這うように人家をのみ込んでいく映像は今でも鮮明に目に焼き付いている。

一九九五(平成七)年の阪神・淡路大震災以降、新潟県中越地震、能登半島地震など大きな地震による文化財被害は多発してきており、そのたびに文化財レスキューが実施され、私も関わってきたが、東日本大震災は被害も甚大であるため、文化庁はいち早く国レベルで文化財救援委員会を立ち上げた。この委員会を作るにあたって、阪神・淡路大震災の時に初めてつくられた文化財等救援委員会の枠組みを参考に、国の機関だけではなく、民間も含めた一体感のある組織で、情報の一元化を図るなど、機能性を高めていることが特徴であった。

特に画期的なことは、指定文化財だけにはとらわれず、未指定文化財にまで救援対象の幅を広げたことである。このことは、同年四月に出された近藤誠一文化庁長官(当時)のメッセージにも、「指定・未指定文化財を問わず」と明確に盛り込まれている(https://www.bunka.go.jp/earthquake/chokan_20110401.html より)。

今回の地震及び津波により、国が指定等した文化財だけでも四〇〇件以上の甚大な被害がありました。その範囲は極めて広く、正に文化財保護法制定以来最大の試練と言っていいかもしれません。国宝、重要文化財、特別史跡や特別名勝に指定されている文化財も数多く被災し、損傷、倒壊した文化財の中には復旧に長い時間を必要とするものもあり、中には滅失したものもあります。

指定・未指定を問わず文化財は、我が国はもとより人類が未来にわたって共有すべき貴重な財産であり、これらを後世に伝えていくことが、現代に生きる私たちの責務です。そのためにまずやらなければならないことは、今回の地震や津波によって被災した文化財や美術品等を緊急に保全し、今後予想される損壊建物の撤去等に伴う廃棄・散逸あるいは盗難等の被害から防ぐことです。

私は、この東日本大震災が契機となって、未指定文化財の存在が広く認知されるようになったと感じている。その後、内田氏らと動産文化財救出マニュアル編集委員会を立ち上げ、『動産文化財救出マニュアル－思い出の品から美術工芸品まで－』を編纂したが、その中では、写真、ランドセルから日常生活用品、鋤、鍬などの民俗資料に至るまであらゆるものを視野に入れて、それぞれの材質的特徴を鑑みた適切な保存処置を提言することを試みた。私の長年の懸案であった「未指定文化財」に対する思いも少しは解決の糸口をつかんだと言えるのかもしれない。

災害復興の鍵は「文化財」

阪神・淡路大震災からすでに三〇年近い日が流れた。駅も崩壊し電車もすべてが動かなくなった中、斜めに傾いたビル群に平衡感覚を失いながら、圧し潰された家々と瓦礫の山を横目にひたすら歩いた神戸の街も見違えるようにすっかりきれいになった。完全に崩壊した重要文化財、旧神戸居留地十五番館も復元され、何もなかったように街に溶け込んでいる。

後述する『朝日新聞』連載「街の余韻を捜す」によれば、文部科学省などによる調査では、二〇〇一年から二〇二〇年までに、災害によって被災した国指定文化財は、約五千件に上り、しかもその四割が二〇一六年以降の五年間に集中するという。国指定の文化財は史跡名勝などを含めて約一万七千件であるから、単純にみても、その被災率は相当高いのではなかろうか。まさに、日本は「災害頻発時代」に突入したと言ってよい。被災した国指定文化財に対しては、被災状況を調査し、しっかりとした復元、あるいは修理が行われているのだろう。熊本地震で大きな被害を受けた熊本城のようなシンボリックな存在は、その修理の様子などがニュースに流れ、われわれもその様子を垣間見ることができる。

しかし、約一二万件あるという都道府県や市町村の指定文化財の被災の状況はどうなっているのだろうか。どこに何が、どういう状態であるのか、そしてそのものについての詳しい情報を行政が把握していることが基本である指定文化財、すなわち「狭義の文化財」でもその被害の全貌はみえないが、それを取り巻く「広義の文化財」、すなわち未指定文化財の被害の実態を把握するのは困難であろう。

被災した街の復興にあたっては、またいつ襲ってくるかわからない災害に備えた防災意識の強い町づくりをめざして、インフラ整備が行われている。本書の冒頭で述べたように、「インフラ infra」とは、もとは「Infrastructure」(下部構造)の接頭辞部分であり、これだけが「生活を支える基盤」という意味を持つ日本語になった。りっぱに復興した街並みの中で地元の人たちが、いつも当たり前のように存在していた地域の文化財が消えてしまっていることにふと気が付き、喪失感を感じることはないのだろうか。実は、文化財もりっぱな「インフラ」、住民の心を支える基盤なのである。

災害に遭った各地の被災地に住む人たちの声を中心にまとめた『朝日新聞』の連載「(てんでんこ)街の余韻を捜す」1~5(二〇二一年)の連載が目に留まった。そこで紹介されているのは、各地の学芸員や文化財関係者たちが、指定文化財だけではない未指定文化財まで何とか残したいと奮闘する姿である。

熊本県人吉(ひとよし)・球磨(くま)地方は、司馬遼太郎が「日本でもっとも豊かな隠れ里」と評したという。

この地域の集落のそれぞれには、お堂や神社が一つ以上あり、そこには仏神像が必ず祀られている。しかし、二〇二〇(令和二)年七月、この地方を襲った豪雨で球磨川が氾濫し、川沿いに多数あったお堂の一部は跡形もなく流された。その後、被災地の住民の協力も得て、豪雨で流されて行き場を失った仏神像が五二点も集まったという。もとあった場所に戻せたものは一九点であるが、被災により腕や光背がとれ、顔も損傷して修理にかなりの費用が掛かるものも多い。また、元あった場所がわかっても、肝心のお堂が損壊していれば戻すこともできない。そして、六点はどこから流れ着いたのかもわからず、二〇二一年末時点でも三三点は山江村歴史民俗資料館の片隅で保管されているという。

このような災害の爪痕は被災した各地で残っており、これが未指定文化財の置かれた現状なのである。阪神・淡路大震災の時に救出された仏像も帰る場所が失われ、未だに地域の資料館に保管されているものもあるのである。集落の守り神的存在として、日頃の生活ではそこにあるのが当たり前である仏神像たちが突然に消えてしまうことが、住民に与える心理的な喪失感は、時間が経つにつれて大きくなるのではなかろうか。

被災時の最も大きな課題は人命の救出である。そして、インフラの整備も当然である。被災後の後片づけに際して、いつもそばにあるのが当たり前になっており、特にその存在に対して取り立てて価値を意識していないと、多くは被災して壊れた家財道具などとともに、粗大ごみとして処分されるものも多いことだろう。史料ネットは、大事なものは指定文化財だけではないと、江戸時代の古文書はもちろん、近・現代の町内会の記録に至るまで、地域の歴史に関わるものはすべて残そうと被災地の民家を一軒ずつ回っている。現代人の生き方として最近人気のある、モノを持たない暮らし方とは相容れないのかもしれないが、代々受け継がれてきた史料をわれわれの世代で途絶えさせてはいけないという強い使命感に支えられている。

「街の余韻を捜す」3の最後を締める熊谷賢氏(陸前高田市立博物館主任学芸員)の言葉は重い。「新しい道路や建物ができても、それだけだとどこも同じになる。その街らしさは歴史や文化、自然からなるもの。文化財が残らない復興は本当の復興ではありません」。

「防災力」を高める――「文化財防災センター」の誕生

日本列島は、太平洋プレート、フィリピン海プレートなど、四つのプレートが複雑に交差する上に存在し、その地殻はこれらのプレートの動きで生じた歪みによる断層が大小至るところに走り、そこに蓄積されたエネルギーの解消で生じる地震活動から逃れられない宿命を持つ。阪神・淡路大震災や東日本大震災などによる文化財被害の記憶も生々しい。そして、日本列島の周りには親潮や黒潮など、寒流と暖流の双方の海流が流れ込み、上空では、シベリア気団や小笠原気団など、これも寒暖双方の気団がいくつもせめぎ合うことによって、四季を楽しむことができる反面、台風も含めた大規模な風水害の被害も避けられない。まさに、日本は自然災害大国なのである。特に最近は、地震も含めて、大規模な激甚災害が増加し、日本列島は「災害頻発時代」に突入したと言ってよいだろう。

阪神・淡路大震災を契機に始まった文化財レスキューの取り組みが、その後いくつかの災害とともに進化し、東日本大震災を経て、本格的な動きとして、独立行政法人国立文化財機構が中心となり、二〇二〇(令和二)年一〇月、奈良文化財研究所に本部を置く「文化財防災センター」が立ち上がったことに注目したい。

センター本部の下、国立文化財機構に属する研究所、博物館を中心に、実際にさまざまな形で文化財の防災に関わってきた機関、学会、組織との連携協力をとり、全国的な文化財防災体制をとる(図II-3)。

これまで、それぞれの地域の文化行政の担当者、博物館・図書館・文書館等の施設及び協会、地域史料ネットワークなどが、バラバラに行ってきた取り組みを、災害発生時に災害状況等に関する情報共有を迅速に図るための地域ネットワークを構築し、地域内連携体制の確立の促進

文化財防災のための体制 2つの拠点：東日本ブロック、西日本ブロック

◎災害が起きた際、初動対応の迅速化と連携・情報共有の強化を図る

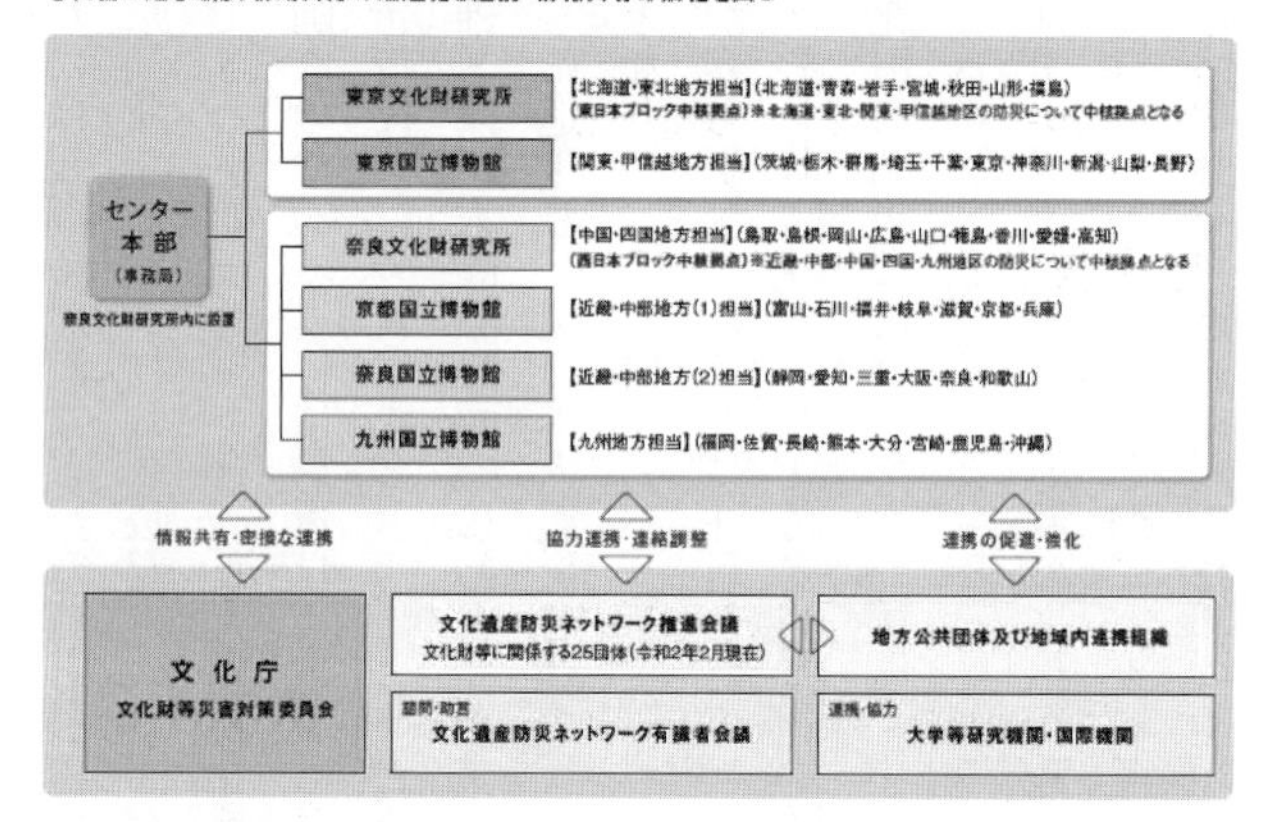

図Ⅱ-3　文化財防災センターの連携体制（出典：独立行政法人国立文化財機構ホームページ　https://ch-drm.nich.go.jp/about/organization.html）

を当面の目標に掲げ、地域に即した「地域防災計画」を見直す中で、文化財の防災の組織づくりや多様な災害に対しての地域における文化財防災に対する貢献を図っている。必ず何度も繰り返し発生する災害に対して、「災害発生と緊急対応（レスキュー）」、「復旧復興」、「減災対策」、「緊急事態への対策」というサイクルを「文化財防災スパイラル」として繰り返すことによって、防災力を高めることをめざしている。

　最も大事なことは、指定文化財だけではなく、未指定文化財を含めた「広義の文化財」を「社会インフラ」と位置づけ、文化財防災スパイラルを通して、文化財を災害から守るための防災力を高め、さらに文化

財が地域コミュニティの防災力を高める役割を担っていることを実践的に示すことを目的としていることである。「文化財防災センター」がこれからどのように展開していくのか、その取り組みに大いに期待したい。

III
保存・継承、そして活用

一　保存と活用の矛盾を越える

活用を考える前に

文化財の活用について、第I章で触れた「もの」と「モノ」との関係から、改めて考えてみることにする。「ものつくり」として、私が「もの」と表記する対象は、伝統的な職人芸の手ワザで制作した一品主義の制作の成果としての「もの」である。これに対して、明治時代以降の近代化の中で確立された機械的に大量生産する工業的な製作物を「モノ」とすることにより、一線を画する。有形の文化財は、「ものつくり」の成果物と考えてよいだろう。

ちなみに、われわれ現代人の快適な生活の多くの部分は、工業的に製作された機械類などで構成された家電や建築物、すなわち「モノ」によって支えられている。経済学的にいえば、将来的に収益を生み出す力、すなわち経済的な価値が使用時間の経過とともに劣化していく有形の「モノ」に対して、耐用年数という概念が導入される。その価値の減少を減価償却という考え方に基づいて会計的に処理され、最終的には消耗品として廃棄処分されることになる。また、一般の電気器具などは、故障しても部品の供給は製品製造終了後七、八年、長くても一〇年程度である。建築物でも、例えば耐震強度が基準に達しない老朽化した建物は耐震補強される場合もあるがほとんどは解体して建て直される。生産物としての「モノ」は消費され消失する。「モノ」を巡る生産と消費の循環の仕組みの中で、現代社会の経済が成立しているのである。

これに対して、「もの」として制作され、長い時間が経過した文化財の多くは、物質としての「もの」の耐用年数はすでに切れ、機能性もほぼ消失し、当然ながら減価償却は終了しているにもかかわらず、廃棄されずに存在価値を持ち続けている。すなわち、一般的な消費財ではないのである。

例えば、国宝や重要文化財級の建造物は、耐震強度などは現在の建築基準には程遠い状態である場合も多く、本来なら取り壊しの対象であるが、その姿を存続させるためにさまざまな対策がとられている。すなわち、文化財は、ものとしての物質的な賞味期限は切れているが、その存在自体に付加価値があるために、この価値を維持するために特別な措置をとる必要がある。この措置が、保存修理・修復なのである。

一八九七(明治三〇)年に開館した京都国立博物館(以下、京博)の本館は現在「明治古都館」と呼ばれているが、宮廷建築家といわれた片山東熊(とうくま)の設計によって建てられた。バロック様式の中に日本的な感性も取り入れ、京都東山を背景に壮麗な姿を誇り、近代日本建築の優れた建造物として、一九六九(昭和四四)年に表門や袖塀(そでべい)などとともに重要文化財に指定された。開館以来、多くの展覧会の会場として使われてきたが、当然ながら老朽化も進み、さらなる問題は、耐震強度であった。

ちょうど私が在籍していた二〇〇八(平成二〇)年頃から耐震性能診断を行っており、その検証の結果、耐震補強が必要という判断が下された。そして、専門家によるさらなる検討が行われ、明治古都館のような煉瓦造りの建造物は、単なる補強では役に立たないため、建物全体を支える免震装置を床下に設置する方法をとることになった。しかし、地下に免震装置を設置するには、事前に地下の遺構の確認などの準備が必要となる。二〇一四(平成二六)年に、谷口吉生氏設計の新館「平成知新館」が開館したこともあり、「修理完成記念 国宝 鳥獣戯画と高山寺」展の展示を最後に明治古都館は休館することになった。京博の敷地は、豊臣秀吉の創建した方広寺の跡地でもあり、発掘調査では、築地塀跡が発見されるなど昔の姿を偲ぶ遺構を確認するなどの成果があった。今後、本格的な免震改修・保存修理の工事へと進み、完成までにはまだ時間を要する。

建造物の地下に大がかりな免震装置を設置した事例で思い出すのは、旧神戸居留地十五番館の復元である。一八八〇(明治一三)年頃に建築されたやはり木骨煉瓦造りの建物で、一九八九

(平成元)年に重要文化財に指定された。指定後に修復工事が行われ、一九九三(平成五)年に完成をみたが、わずか二年後に阪神・淡路大震災によって完全に倒壊した。被災後の改めての復旧に際して、①内外観および仕様の変更を最小限にとどめるのはもとより、当初材も最大限再用する、②建築基準法相当の耐震性を確保する、という二点が基本方針とされ、最終的に選ばれたのが地下に建物全体を載せる免震装置を据えることであった。私も工事中と完成後の二度現地に赴いたが、震災によって大崩壊した建物を元通りに復元し、二度と倒壊させないという文化財保護への熱い思いを肌で感じた。

この二例だけをみても、耐用限度を超えてはいるが、文化財としての存在を末永く維持・保存して、次の世代に伝えるための修理や復元には、たいへんな手間とお金がかかることが、よくわかるであろう。もちろん指定建造物だけではなく、未指定文化財も含めて、「もの」として耐用限度を超えてしまっているあらゆる有形の文化財、仏像、絵画、書跡、着物などは、その存在を末永く維持するためには保存修理と、さらに修理後に保管する際の環境保全への配慮が欠かせない。すなわち、物質としての賞味期限の切れた文化財を継続的に活用するためには、その存在を維持するために手間とお金をかけないと、たちまち消耗して消えてしまうことになる。保存を担保しない活用は、現在何とか姿をとどめている文化財の寿命をさらに縮めることにしかならない。活用が優先して文化財をわれわれ世代の消耗品にしてはいけないということを肝に銘じないといけない。

保存と活用のバランス

文化財の価値をどう判断するのか、これはなかなか難しい課題である。第Ⅰ章でみたように文化財自体も人によって捉え方が異なっているのが現状であり、その価値に対しても絶対的な定義や判断を示す客観的な基準が存在するわけではない。文化財保護法の制定以来、その価値は、文化財保護法第二条に謳われるように「歴史的価値、芸術的価値、学術的価値、鑑賞的価値」であり、歴史学、先史学、考古学、古生物学、民俗学、人類学、文献学、文学、宗教、科学、技術、環境、景観等の経済性以外の学術的諸分野で見出される重要性を重んじる、すなわち金銭的価値ではないものを拠りどころとしてきたといえよう。

文化財保護法第一条では、「文化財を保存し、且つ、その活用を図り、もって国民の文化的向上に資するとともに、世界文化の進歩に貢献することを目的とする」と制定当初から「活用」にも言及している。すなわち、文化財保護において、基本的には「保存」と「活用」が両輪なのである。しかし、第一義的には「保存」が優先的であり、ここでいう活用は、専門家が評価し、行政が認定した指定文化財を展示・公開し、その価値を国民が享受する場を提供することを意味しているとしてよい。

このような文化財の活用に対する考え方は、文化財保護が、第II章で触れたように教育の一環として捉えられていた文化財保護法第二期の後半、一九九〇年代中頃までは主体的であったといえる。これに対して、二一世紀の声を聞く頃から、文化行政の見直しのなかで、文化財が持つ別の側面、地域社会における精神的な支えでもある文化財を地域の誇りとして観光面で利用し、文化財の持つ経済的な価値を活用しようという機運が生まれてきた。文化財に対しての新しい価値論の登場であるが、ここでいう経済的価値とは、観光資源として文化財がもたらす金銭的効果のことであり、文化財そのものの金銭的価値評価とは異なることに注意する必要がある。

二一世紀に入り、文化財保護法第三期になるとその声は増々大きくなり、文化財を経済的価値のある観光資源と捉え、積極的にインバウンドの対象として活用しようという方向性がはっきり打ち出され、文化財保護法自体も「文化芸術基本法」の下に置かれるなど、その立ち位置にも変化が生じることになった。

文化財そのものが、新たな経済的価値に期待した「活用」を強調するようになったことから、博物館、美術館の学芸員も含めて実際に文化財に関わってきた関係者の多くから、「保存」が置き去りになるのではないかと不安の声が上がってきたことも事実である。それは、文化財保護法が従来から第一義的に重要と位置づけてきた「保存」に対する文化財関係者のストイックな思いとともに、いかに海外への輸出規制、すなわち流失阻止を具現化するか、そして地域の文化継承に貢献したいという強い使命感に基づくところも大きいことが挙げられよう。何よりも保存が担保されていない活用が優先するのではないかという懸念なのである。

これに対して、文化財の価値を観光資源として考え、新たな「活用」をめざそうとする側からすると、「活用」に対して懸念を表明する文化財関係者は、「保存」を金科玉条とし、自分たちの研究のためにだけ無駄に税金を使っている守旧派であり、時代の流れが読めない連中ということになる。そして、こういった思いから、二〇一七(平成二九)年に活用をめざす側から、「学芸員はガン」という発言も飛び出したのではなかろうか。このような事態は、「活用」という言葉の根本的な定義づけをお互いに共有していないために生じた悲喜劇なのである。

この背景には、双方に要因があると私は考える。第一に文化財関係者がこれまでにやってきたことへの説明不足があるのではなかろうか。文化財関係者も、文化財保護法の枠組みの中ではあるが、「活用」に対して「公開・展示」という形でできる限りの対応をしてきたという自負を持っているし、実際に実践してきている。そして、その思いを機会あるごとに伝える努力をしてきたことも事実である。しかし、その発信は、人目を惹く大掛かりな「展覧会」という舞台では注目されても、特別公開というようなものは一過性のイベントとして扱われ、日々の地道な活動の周知は従来からのファンや関係者内にとどまる。残念ながら行政に携わる他の部署の職員の理解すら得られていないのだから、一般市民にまで届くには程遠いのではなかろうか。文化財に関心がある限られた人たちの一定の理解は得てきた実績はあるが、広く世間一般の方々、さらには行政の他の部署の担当者たちと、文化財の保存・継承の重要性を共有する努力は十分だったのだろうか。

新聞やテレビなどの文化財に関する報道のほとんどは国宝や重要文化財に関するものであり、また「新発見」や「最古」というように、「新」、あるいは「最古」が付く場合には大きくなるが、それ以外の話題はほとんど記事にもならない。従って、発掘調査も含めて文化財の調査・研究は、一般的には「お宝探し」、趣味の領域と思われているのではなかろうか。「楽しいことしてはってよろしいなあ」という言葉を私もよくいただいたものである。

文化財行政に携わる国の機関は文化庁、地方公共団体においては教育委員会に置かれた文化財保護課が主な部局となり、その職員は公務員、あるいはそれに準じ、そのほとんどは専門職に位置づけられ、とにかく絶対的に数が少ない。そして、他の行政職の職員は、三年あるいは数年で異なった部署に配置換えになることもあるが、文化財関係の専門職員はほとんど職場の異動がないのが一般的である。文化財関係の専門職員は他の職場に異動させにくいスペシャリストである。この状況は、博物館や美術館における学芸員も同様である。同じ場所で同じ顔触れの中で長年過ごしていると、世間一般の動きに敏感に対応できなくなるし、自分たちの姿を外からの目線で見ることも難しくなり、世間に対しての発信力も鈍くなるのではないか。

このような思いに至ったのは、国の文化庁管轄の研究所で長年研究職に就き、その後、同じく国の博物館に学芸員として異動し、マネージメントも経験したのち、現在は地方都市の公立美術館において、その運営に携わってきた私自身の経験による反省と自戒の念に基づいている。

一方、最近になって文化財が経済的効果をもたらす存在だと気づいた側にも当然問題がある。これまで、文化財は保存維持にお金がかかる厄介な存在で、そんな古くさいものを大事にしても経済的効果などを生み出すこともないと考えていたのではないだろうか。先に述べたように、文化財の活用には、保存が担保されていることが第一条件であるということに対する勉強不足がある。文化財を末永く活用するためには手間とお金が必然であるということを肝に銘じていただきたい。

このように、「保存」と「活用」のそれぞれに与する価値観は相容れない矛盾を抱えているといえる。しかし、文化財を取り巻く現在の流れにおいては、これまで長い時間をかけて熟成してきた「保存」に重点を置いた文化財の価値概念に加えて、時代が変わる中で改めて位置づけられた「活用」という社会的ニーズにも広くスポットが当たる工夫をする試みは重要である。新たな文化芸術基本法の下、「経済的価値」を、「歴史的価値、芸術的価値、学術的価値、鑑賞的価値」をしっかり「保存・継承」するための金銭的効果を生み出す手段の一つとして捉える柔軟な受け止め方が必要であろう。

そして、ここで最も大事なのは、物質的にも脆弱化した文化財を、経済的効果をもたらす存在として末永く活用するためには、保存維持のための修理と置かれた環境の保全(収蔵と展示の両面から)にお金がかかることに対して覚悟を持たないといけないということである。「活用」によってもたらされる経済的効果をより充実した保存に利用する可能性を探っていくことが重要である。一言でいえば、財政的裏付けがなければ、文化財、そして文化は守れないのである。すなわち、文化財を保存・継承し、それを活用することで生み出される経済的効果が再び保存に還元される循環型の仕掛けこそ、理想的な文化財保護の姿といえるのではなかろうか。

ここまで、「保存」と「活用」という文化財に求められる二面性について述べてきたが、もう一つ大きな問題として、第Ⅰ章でも触れた「未指定文化財」の存在に改めて触れなくてはいけない。「文化財保護法」は、厳密には「指定文化財」が対象である。「指定文化財」に対しては、当然ながら十分な配慮のもとに「活用」が実施されることだろう。しかし、「未指定文化財」に関しては、「活用」は論じられても「保存」に対しての議論は希薄である。つまり、「指定文化財」の「活用」に対しては、「保存」を大前提とした上で検討されるが、「未指定文化財」は「活用ありき」という大波にのまれて、「保存・継承」というポイントが置き去りになる危機に晒されているのが現状である。

これは、「修理」という文化財に欠かせない行為のあり方にもつながるたいへん重要な問題である。観光立国計画の中には、「未指定文化財」にも配慮するという文言が散見するが、これも基本的には未指定文化財の範疇にある登録文化財を意識したものであり、ここで論じようとしている未指定文化財の海に浮かぶ、氷山の一角にしか過ぎない。「広義の文化財」、未指定文化財の海は広くて深いのである。

これからの文化財保護を考える上では、「未指定文化財」も含めた総合的な文化財の価値論をもって展開していくべきであり、そのためにも客観的な判断基準を設け、新たなシステムを構築していく必要があるのではなかろうか。

客観的指標としての「文化財情報」

文化財の価値は、どこから生み出されるのか。文化財は、大事なものだから守らないといけないという曖昧模糊な訴えだけでは、その価値はなかなか伝わらないだろう。誰もが納得できる客観的でさらに具体的な価値論を構築する必要があるのではなかろうか。

私にとって馴染みのある文化財は、「ものつくり」の成果品として生み出されてきた制作物、例えば、歴史的な建造物であり、絵画、彫刻、金工、漆芸などの美術工芸品、すなわちそれぞれの時代の匠たちが制作した形あるものとしての具体的な姿で存在する有形文化財であることは述べた。

文化財の価値は、評価する立場によってさまざまな側面を持ち得るが、私は特に有形文化財に対して、「ものつくり」の立場から考えることにしており、有形文化財の価値を評価するために、「文化財の持つ情報」という客観的な要素を通して考えることにしている。そして、ここで定義する「文化財の持つ情報」は、前項で取り上げた「保存」と「活用」というどちらの価値論に対しても、また「指定」、「未指定」という行政的な区分けにも関係ない、あらゆる文化財、すなわち「広義な文化財」にも共通する基本的かつ不可欠な客観的指標として位置づけることができるのではなかろうか。

有形の文化財に出合った時にまず問われるのは、「いつ」、「どこで」作られたのか、そして、「誰が」、「何のために」作ったのか、という点だろう。さらに、「どのような材料」で、「どのように」作ったのだろうかという疑問も湧いてくる。いわゆる、情報の基本である5W1Hである。すなわち、

what　どのような材料で
how　どのように
when　いつ
where　どこで
who　誰が
why　何のために

という六つの疑問に対する情報を文化財が秘めていることになる。つまり、これらは文化財が制作された当初の、すなわち、文化財そのものの誕生に関わる「ものつくり」の情報であり、個々の文化財のこれらの情報の蓄積が、「ものつくり」の歴史を形成することになる。

制作時当初の「ものつくり」に関するオリジナル情報は、文化財の価値を決める基本である

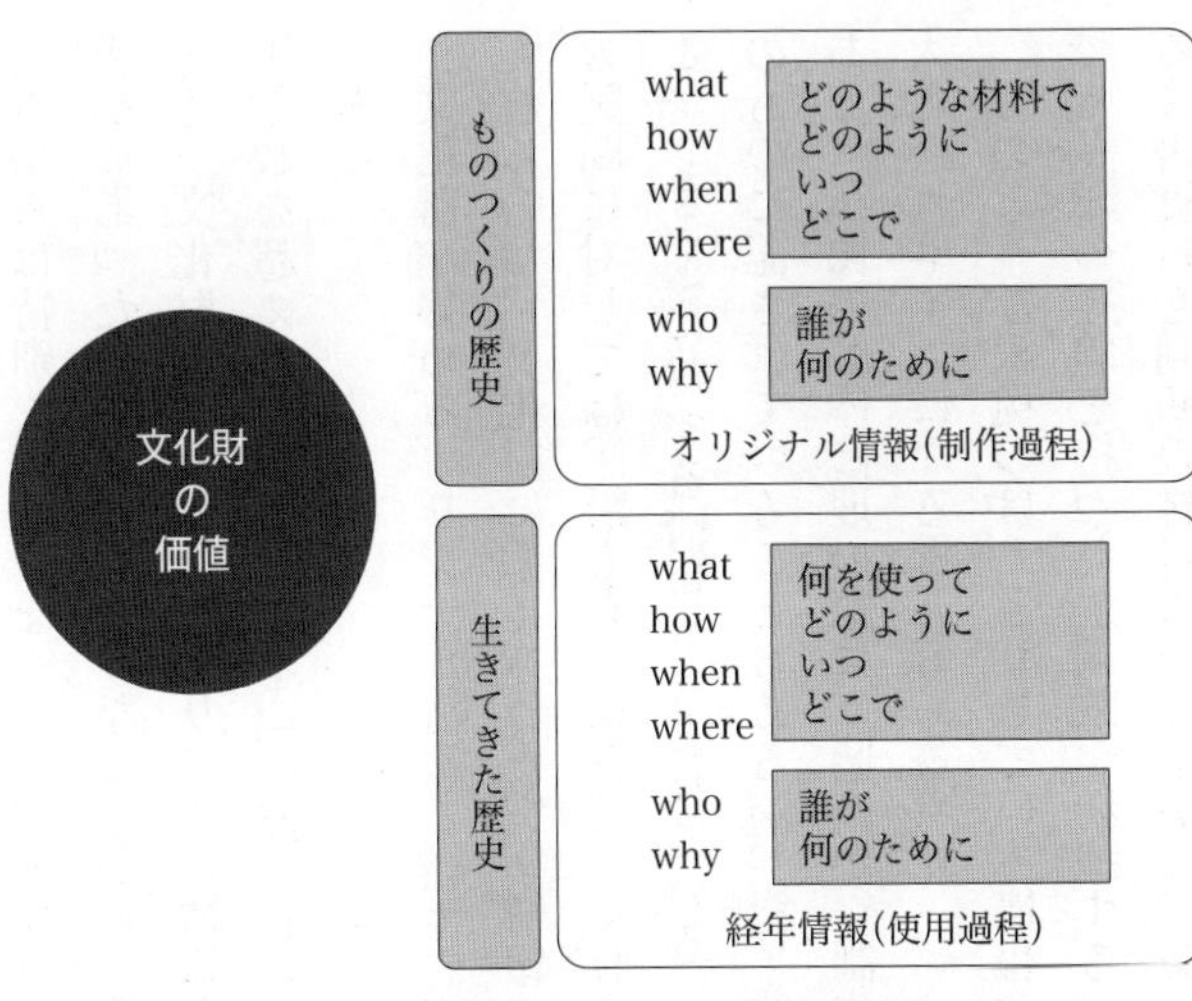

図Ⅲ-1 文化財の情報からみた「文化財の価値」(著者作成)

が、文化財が秘めている情報はこれだけではない。それは、文化財が制作された時から現在に至るまでの年月の間、誰が、いつ、どこで所有し、何のために、何を使って、どのように使われてきたのか、という文化財それぞれが個々に持つ経年的情報である。文化財の生涯記録とでもいえようか。文化財が背負ってきたこれらの経年情報は、文化財が生きてきた歴史そのものを語ってくれることになる。

このように、文化財は、生まれた時の制作に関わる「ものつくり」の歴史と、文化財がその後に生きてきた歴史の双方の情報を秘めていることになる。文化財の価値は、この両者の相関によって決まるといっていいだろう(図Ⅲ-1)。オリジナルな「ものつくり」の観点からは特別な存在でなくても、それがどう利用されてきたか、例えば、歴史的な人物の遺愛品であったのかというようなことから、特別な付加価値が付いていることもよくあることである。文化財が秘めているオリジナル情報と経年情報の双方は、文化財が「もの」としての耐用年数を超えて、その存在を「保存」し、「活用」していくために維持しなければいけないのである。

文化財が秘めるオリジナル情報と経年情報の双方における5W1Hの疑問に直截的に応えてくれるのは、文化財に添えられた文字情報である。特に、誰が(who)、何のために(why)の二つの疑問に対しては、最も有効に答えてくれる情報源であろう。また、時には、いつ(when)、どこで(where)に対する情報も含まれていることがある。これらの文字情報は、文化財の本体そのものに記されていることもあるが、紀年銘が添付された由緒書や箱書に記されていることもある。仏像の解体修理の際に、胎内から制作した仏師の名前や制作年に関する墨書が発見され、大きなニュースになることもある。

このような根拠のはっきりしている情報がない場合は、古くからそうであったように、現代でも長年の経験を持った鑑識眼が活躍する。いわゆる「目利き」である。その背景に、関連する文書資料も判断の材料に据えながら、美術史、歴史学、考古学などに精通した識者の様式や技法に対する知識の蓄積と長年に培った勘と経験が大いにものをいう。そして、ホンモノとみなされたものが折り紙付き、すなわち、鑑定書が付くことになる。私は、文字情報などを拠りどころとする伝統的な鑑定による手法を、「人文科学的アプローチ」とすることにしている。

二　価値を見きわめる——文化財保存科学の挑戦

「よく見る」ことから始まる

文化財を鑑賞、そして調査・研究するには、じっくりと観察する必要がある。形体的特徴はもちろん、表面の状態からできれば内部の状況に至るまで十分に観察し、制作時のオリジナルな情報、そして経年によって付加された情報、この双方の情報を読み取ることが肝要となる。しかし、肉眼観察だけではわからないことも多い。例えば、制作されてから長い時間を経た作品は、表面が汚れやサビなどで覆われているため、オリジナルの姿を見ることができないと残念に思うことも少なくないだろう。すなわち、文化財の持つ情報を得るために肉眼観察だけでは無理がある。これが、人文科学的アプローチの限界の一つとでもいえようか。

ではここで、改めて肉眼観察で「見えない情報」とは何かを考えてみよう。

A　オリジナルな状態でも表面的には見ることができないもの（内部の構造など）
B　オリジナルな状態では見ることができたが、長い年月を経て見えなくなったもの
　B－1　対象自体が変質、あるいは脱落したために見えなくなったもの
　B－2　対象自体は健全であるが、周囲の影響によって見えなくなったもの
C　一般的な鑑賞や調査には必要ないが、見ることができれば研究が進むもの

Aは、根本的に肉眼観察では無理である。Bは、文化財が持つ時間ファクター、すなわち経時的変化に起因する。B－1の一部には、クリーニングなどの処理により、オリジナルな情報を肉眼観察で得る可能性は残されている場合がある。

肉眼観察だけで対応が難しい要望、①隠れた構造を見たい、②消えた痕跡を探りたい、③微細な構造を知りたい、に応える手段として「自然科学的アプローチ」を導入して「不可視情報の可視化」を図ることが多くなってきた。

①〜③に対する具体的な対応は以下の通りとなる。

①隠れた構造を見たい　→　i　透かして見る
②消えた痕跡を探りたい→　ii　痕跡を抽出する
③微細な構造を知りたい→　iii　拡大する

いずれも、人間の眼に見える「可視光」領域外の電磁波を使うことが基本になる。

iの「透かして見る」に対応する手段の代表が可視光より波長が短く、物質の透過力が強いX線による透過観察である。われわれの健康診断でもお馴染みであるが、一八九五年にドイツの物理学者W・C・レントゲン博士によって発見された直後から、X線は博物館資料の調査にも使われ始めた。日本では、一九三四(昭和九)年に大阪府高槻市阿武山(あぶやま)古墳の出土品の調査に用いられたのが最初の事例である。最近では、X線CTによる内部構造の三次元的観察も普及してきており、仏像などの大型文化財の内部構造も明らかになってきている。

iiの「痕跡を抽出する」手段に効力を発揮するのが赤外線である。赤外線は、可視光より波長が長く、こちらも目には見えないが、炭素によって吸収される性質を持つ。日本の古代の文字記録は墨書である。墨の構成元素は炭素である。古代の土器や木片に残された墨書が消えかかっていても、赤外線観察によって墨の痕跡が鮮やかに蘇る。例えば、奈良時代の平城宮跡の発掘で出土する木簡は、すべて赤外線調査が行われ、消えかかった文字の痕跡まで解読されているのである。また、墨は絵画の下書きに使われることも多く、赤外線調査は、洋の東西を問わず古代から現代の絵画の調査にも用いられている。紫外線も有機物に反応することもあり、絵画の調査に使われることもある。このように、肉眼には見えない光を用いた調査は、文化財を「よく見る」ための科学的調査の基本なのである。

iiiの「拡大する」手段として、文化財に限らず、細かいものを見る時に、いわゆる「虫メガネ」を使うのは常套である。しかし、手持ちの拡大鏡では、せいぜい二〇倍程度が限界だろう。文化財の調査では、さらに高倍率の顕微鏡を用いることも多くなってきている。卓上型の顕微鏡では、立体の文化財の観察は無理なので、観察点に合わせて自由に動かすことが可能な歯科用の顕微鏡を用いる場合もある。さらに、最近では、デジタル化が進み、観察画面を大型モニターに映し出し、複数人で観察できるシステムも普及してきている。観察だけではなく、絵画などの修理も、顕微鏡下で行われている。さらに、微細構造の観察には、分析機能を備えた電子顕微鏡(SEM)も使われており、私も古代金工品の制作技術の解明に欠かせない装置として、さまざまな調査に使ってきた。

このように、「文化財の持つ情報」を引き出すために、まず「よく見る」ことが大切であり、肉眼観察を補う手段としてさまざまな自然科学的アプローチが開発されてきた。そして、さらに、文化財の材質を知るための分析方法や、年代や産地を何とか科学的な手法で読み解けないかと、さまざまな手法が開発されてきている。

情報を引き出すだけでよいのか

文化財に対する5W1Hの疑問に答える情報を探ることは、これまで詳細が不明だった文化財の起源や系譜など、歴史の謎に迫ることにもつながり、たいへん興味深い。そして、その手段として最近では自然科学的アプローチも用いられることが多くなってきた。まだまだ読み解けていない文化財の謎に迫る手段として期待されており、その成果が「歴史のロマンに迫る」というようなキャッチフレーズのもと、テレビや新聞で大きく報道され、衆目を集めることもよくあることである。確かに、私自身も実際に調査をしていて胸が高鳴るような高揚感を感じることも少なくない。自然科学的アプローチを用いて文化財の調査に関わる研究者の多くが、この魅力に捕らわれることは間違いないだろう。

しかし、ここで大切なことは、「文化財の持つ情報」は、引き出すことだけが重要なのではないことである。自然科学的アプローチは、さまざまな機器分析装置を用いなければいけない。

従って、自然科学的アプローチに挑戦することによって、「文化財の持つ情報」を攪乱（かくらん）し、さらには肝心の文化財保護に対して逆行する事態を招いてはいけないということを肝に銘じる必要がある。例えば、「文化財の持つ情報」を得るという目的で、文化財から分析に必要な試料を相談もなく勝手にサンプリングすることなどは禁物である。文化財の情報を探ることだけに焦点を当てるために、資料の姿かたちを改変し、さらにその価値を消失させてしまうようなことがあってはならない。調査にあたっては、所有者や関係者との十分な協議を重ねた上で、実施の是非を判断する必要がある。

　本書の主旨からは少し余談になるが、ここでもう一つ大切なことがある。機器分析装置は、基本的にその装置の性能を最大限に発揮するために要求される仕様に従い調整された試料に対してのみ、分析精度を保証する。文化財は、形体も複雑、さらに不均質であり、しかも劣化が進むとともに表面に汚れや付着物も存在している。また、分析試料のサンプリングも困難な場合がほとんどである。文化財の分析では、高度な分析手段を用いれば、精度が高い分析値が保証されるものではないということである。この点については、本書では深入りしないが、注意だけは喚起しておくことにする。

　少なくとも、非破壊で何でもわかるという魔法のような分析方法は存在しないということだけは理解しておいていただきたい。

「活用」のための科学――「保存」の先に見えるもの

自然科学的アプローチには、文化財そのものの姿とそれが秘めた価値を確実に次世代に継承することに寄与するという、もう一歩踏み込んだ使命を目的とする領域があることを忘れてはいけない。これが、「保存科学」と呼ばれる分野の使命である。保存科学の研究者にとっては、「文化財の持つ情報」を引き出すことは、研究の入り口の段階であって、文化財を保存・継承するという、実際には簡単に成果の出ない息の長い地道な作業の序章にしか過ぎないのである。

実資料としての文化財を預かる博物館や美術館のような施設では、多くの科学的なアプローチで得た情報は、博物館施設の根幹である「公開・展示」するという大事な役割に直接関わる基本情報となる。しかし、「収蔵・保管」という文化財の保存・継承に関わるさらに大事な使命を達成するためには、文化財がどんな構造をしているのか、そしてどのような劣化を被っているのか、という現状の精確な把握が重要であり、例えば、表面からの肉眼観察だけでは把握できない内部の状態を探るためには、X線透過観察やX線CT観察などが不可欠になってくる。これらの調査は、われわれが健康維持のために臨床的に行う健康診断にたとえるとわかりやすい。このような日常的な自然科学的アプローチの副産物として、これまで把握できていなかった5W1Hに関わる情報が明らかになった時に大きなニュースとして報道されることになるのである。

また、文化財の状態によっては、修理・修復が必要になってくるが、この場合も、文化財が持つさまざまな情報を攪乱させないように、構成する材質と劣化状態に応じた適切な対応をとるためにも自然科学的な調査と科学的な方法論が必要となる。博物館施設で仕事をする学芸員は、従来から人文科学的な分野に精通していることを要望されるが、最近では、文化財資料の保存という観点から自然科学的な分野の知識も要求されるようになってきている。二〇〇九(平成二一)年には、大学での学芸員養成講座において、資格認定のための必修科目に「博物館資料保存論」が加えられ、この分野の重要性が大学における学芸員育成教育の現場でもようやく認知されるようになったといえよう。

ここで改めて認識しておかねばならないことは、文化財の現在の健康状態を把握することは、「保存」することだけに寄与するのではない。文化財を安全に賢く「活用」するためにも現状の把握が不可欠であることは言うまでもない。保存科学者が文化財保存に下す判断は極めて重要なのである。場合によっては、「活用」に対して、ドクターストップをかける強い権限を持つこともある。すなわち、「保存科学」は、冠に「保存」と謳うが、実際には文化財の「活用」のための科学としての役割も担っていることを再認識する必要がある。

三　「何も足さない、何も引かない」は可能か？──修理を深く考える

「修理」と「修復」

「修理」と「修復」という言葉は、文化財の分野ではどちらも使われる。この使い分けに対してはいろいろな考え方があるだろうが、私なりにここで整理をしてみようと思う。

「修理」というのは、材質の腐食や劣化も進んでいるがまだまだそのものの機能性を失ってはいない、そういう状態のものの機能性を回復させるために手を入れる作業と考えてよいだろう。それに対して、例えば、発掘で出土した考古遺物のように、すでに機能性をなくしているようなものを何とか形を整え、次の世代まで伝えていくためにとる作業を「修復」としてよいのではなかろうか。

また、少し見方を変えると、伝統的な技術を用いることを基本に、その技術自体をも維持するというのが「修理」であり、新たな科学的な方法論を用いるなど、伝統的手法も含めてさま

ざまな方法を駆使することを「修復」とするとわかりやすいかもしれない。

すなわち、「修理」より「修復」の方がカバーする範囲が広く、少し大きな概念であると言ってよいだろう。イメージとして、伝統工芸的な技術が関わるような場合は「修理」にあたるわけである。これが、国宝や重要文化財に対しては、「修復」より「修理」を使うことが多い背景といえるだろう。

また、「修理」の「理」は、「ことわり・みち」を意味する。すなわち、「修理」というのは、ただ形を戻す、使えるようになればよいという意味合いというよりは、もっと深いものがあるのではないかと、私は捉えている。修理の倫理に則って行う作業と捉え、その倫理とは、文化財の価値を損なわない、すなわち文化財の持つ情報を攪乱しないということにあたると考えるのである。

文化財は「修理」によって生かされている

戦禍、自然災害、さらには人為的破壊などから守られた有形文化財であっても、健全な状態で存在できるかどうかは、置かれた環境に大きく左右され、程度に差はあるにせよ腐食・劣化現象は起こることになる。

腐食というとマイナスのイメージがあるが、これは地球上の物質が避けることができない自然現象である。銅や鉄などの金属は、地球の地殻内で酸化物や硫化物などの化合物の状態、すなわち鉱物として存在する時が最も安定している。火をエネルギーとして活用することを学んだ人類は、火を使って鉱物中から必要な金属を抽出することに成功し、得られた金属を加工してさまざまな利器を制作し、文明を築いた。しかし、大気中に晒された金属は、もともと安定していた鉱物の状態、すなわち地球の地殻にいた状態に常に戻ろうとしている。この現象が、いわゆる腐食、すなわち錆びるということである。木材や紙などの有機質の素材は、材質の変質劣化とともに、腐朽、すなわち微生物による分解も生じる。

このように、さまざまな材料で構成された有形の文化財は、制作された時から、材料が自然に腐食し、劣化していくことは避けられない。従って、貴重な文化財の姿かたちの維持をしつつ、秘められたさまざまな情報を温存しながら保存・継承していくためには、腐食や劣化の現象を十分理解して対応していかなくてはいけない。腐食や劣化の促進を制御するために、例えば文化財の置かれた環境の保全を図るなど、さまざまな対策を講じる必要があるが、実際には人智の及ばない世界への挑戦でもある。

有形の文化財の腐食や劣化で傷んだ部分だけを取り除き、オリジナルに近い材料で補塡して、

「ものつくり」によって生み出された文化財の姿かたちを何とか維持しようとする試みが「修理」であり、古代から今日まで定期的に連綿と続けられてきている。古くから伝えられている有形文化財は修理の恩恵に与っていないものはないと言っても過言ではなかろう。有形文化財の維持には、修理は不可欠なのである。

しかし、文化財の維持には修理が必要であることは理解できたとして、どんな修理でも施してよいというわけではない。修理に際してまず気を付けないといけないことは、基本的に姿かたちを改変しないということである。国宝や重要文化財などの指定文化財に対する修理は、この点に配慮した修理理念を「現状維持修理」と位置づけている。現状維持修理は、文化財の修理が岡倉天心を中心に事業として本格化した頃、新納忠之介(にいろちゅうのすけ)率いる日本美術院が拠りどころとした理念である。

理想的な修理をめざして

指定文化財の修理理念として「現状維持修理」という考え方があることを述べたが、これは文化財の現在の姿、すなわち、オリジナル情報と経年情報の両方を兼ね備えている現状の姿を改変することなく忠実に次世代に伝える修理を意味する。その考え方の根底には、修理の際に、新たな情報を加えない、文化財の持つ情報を攪乱させないという理念があることを意味する。すなわち、できるだけ「何も足さない、何も引かない」ということを理想としていると言ってよいだろう。

このような文化財修理の理念を実現するためには、一般的には、修理にあたっての心構えが必要である。指定文化財に対する修理の工程を示すと、①現状の把握、②修理方法の確定、③修理施行、④公開展示、⑤収蔵・保管という流れになる。そして、いずれの工程においても、記録を必要とする。特に最初の段階である「①現状の把握」と「②修理方法の確定」が重要であり、文化財の持っている情報はできるだけ真摯に引き出し、それぞれの文化財に対応する修理方法の確立が肝要だといえる。例えば、作品を漫然と見るだけではなく、そこに隠れた情報にまで気を配る必要がある。そして、情報は引き出すだけではなく、その情報を消失させないということが重要である。

修理によってどんな情報を将来に伝えるかという修理の方針が決まらぬまま、いろいろなことを闇雲にやってしまうと、知らぬ間に情報は消えてしまうことになる。そして、いったん消えた情報は二度と戻らない。修理という行為によって、本来の文化財情報に自分たちが関わったという痕跡を付け加えることになる。下手をすると過去の情報を全部消し去って自分たちが関わった痕跡で上書きしてしまうことになりかねない。強い言葉になるが、これは文化財情報の破壊行為でしかないわけである。

文化財保護法において、国宝や重要文化財などの指定文化財、すなわち「狭義の文化財」に対しては、保存に要する経費の一部を負担し、特別に選ばれた技術者が、文化庁、さらに管轄の地方自治体の文化財担当者の指導の下に一定のルールに従って修理を行うシステムが確立されている。また、文化財の保存のために欠くことのできない伝統的な技術または技能である「文化財の保存技術」のうち、それ自身に保存の措置を講ずる必要のあるものを「選定保存技術」として選定し、その保持者や保存団体を認定する制度を設けており、保存技術自体が保護の対象として位置づけられている。さらに、文化財の保存・継承のための用具類や、漆や和紙などの原材料の安定的な供給・確保が最近特に危惧されており、これらの生産支援分野の拡大を図るために、文化庁は「文化財の匠プロジェクト」を立ち上げ対応を図ろうとしている。

また、先にも述べたが、現在まで残っている文化財は、その長い歴史の中で、すでに何回かの修理を受けている場合がほとんどである。そして、過去に行われた修理に際して、制作当初のオリジナルな姿かたちがすでに改変されている場合も多々ある。このような場合には、できるだけオリジナルな姿に戻すことをめざすが、指定文化財の修理においては、関係者による十分な検討の下に、適正な修理を施すことになる。

文化財保護法の下において、文化財保存修理を巡るこのようなさまざまな施策は、基本的に国宝、重要文化財などの指定文化財、いわゆる狭義の文化財に対してより良き修理をめざして施される修理作業が先行した形になっていると言ってよいだろう。

修理の手順をみておこう

指定文化財に対する修理の工程を具体的にみておくことにする。

文化財の修理は、医療にたとえるとわかりやすい。医療の基本は、診断と治療である。発熱のため体調不良で医者を訪ねた時、何も調べずにすぐに注射をするようなことはありえないだろう。まず、問診から始まり、さまざまな診察・検査によって確定した治療方針を患者に十分説明し、その同意の下で治療にあたる、いわゆるインフォームド・コンセントが行われる。

文化財修理においても、事前調査として修理前に現状の把握を念入りにする必要がある。肉眼観察はもちろん、肉眼では見えない隠れた情報を逃さないために、さまざまな調査手法を実施する。指定文化財に対しては、X線透過撮影による文化財内部の状態観察は調査の第一歩となる。最近では、X線CTを駆使して文化財内部の三次元構造も把握できるようになってきた。

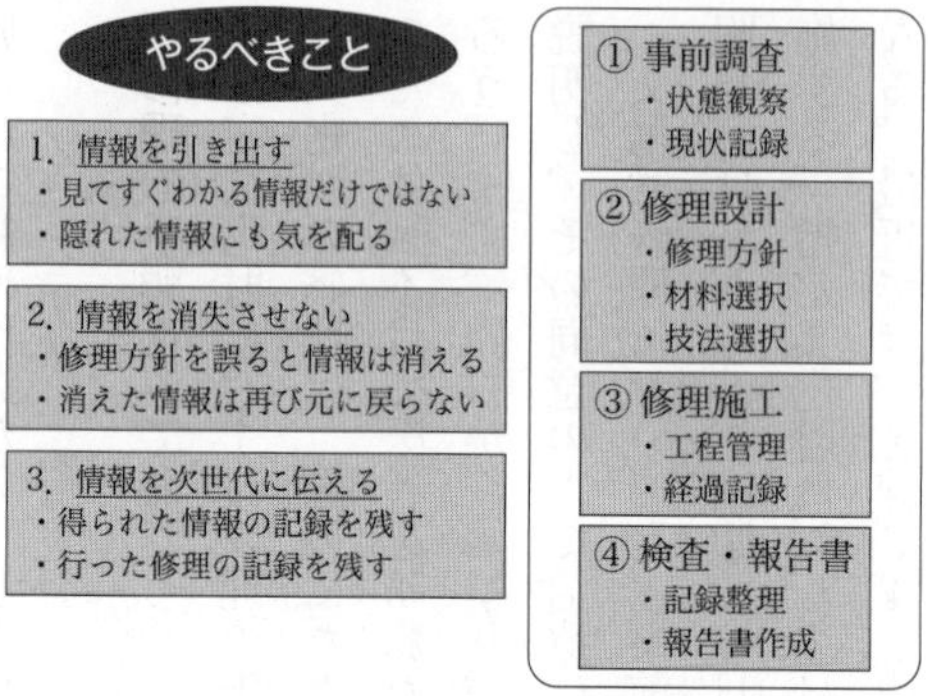

① 事前調査
・状態観察
・現状記録

② 修理設計
・修理方針
・材料選択
・技法選択

③ 修理施工
・工程管理
・経過記録

④ 検査・報告書
・記録整理
・報告書作成

やるべきこと

1. 情報を引き出す
・見てすぐわかる情報だけではない
・隠れた情報にも気を配る

2. 情報を消失させない
・修理方針を誤ると情報は消える
・消えた情報は再び元に戻らない

3. 情報を次世代に伝える
・得られた情報の記録を残す
・行った修理の記録を残す

図Ⅲ-2 文化財の修理理念と修理工程(著者作成)

このような事前調査は、理想的には文化財のすべてに行えればよいが、指定文化財でも実際には無理な場合も多い。いずれにしろ、じっくりと文化財の現在の状態を観察しその詳細をまず確認し、記録する必要がある。そして、それに基づいて、修理設計を立てるわけである(図Ⅲ-2)。

修理設計とは、どういう方針で、どういう材料を使って、どういう技術・技法でやるかという具体的な工程案である。この工程を、どれだけの期間にどこまでやるかが全体の修理計画となる。この修理計画に基づいて、実際の施工に入る。実際に修理作業をするとき、修理計画の工程が守られているかという監督者の施工管理も大事である。そしてその都度どういう経過で、いつ、どういうことをしたかという記録が必要となる。修理が仕上がれば、作業終了の検査を実施し、記録を整理し、報告書を作成することによってようやく完了となる。

このように、指定文化財に対する修理の一連の流れは、家を新築する時の工程と同じと考えてよいだろう。修理という作業において、自分たちが施した修理の記録は、将来また修理を行う際の最大の情報源となるのである。

「大発見」は修理の現場から

文化財を本格的に修理する際には、建造物でも、仏像でも、絵画でも、完全に解体することがある。解体とは、構成するパーツに分解することである。

図III-3は、仏像の解体修理によって、分けられた部材の様子である。一つの仏像が、たいへんな量のパーツから成り立っているのがわかるだろう。立体である仏像だけではなく、掛軸などの平面的な絵画作品であっても、実際には絵が描かれている本紙(絹の場合もある)を裏から支える紙が二層重なり、さらに掛軸の本体全体を裏から支える総裏紙との間にも紙を一枚入れ、さらには本紙の周りを布で表装する複合体構造を呈している(図III-4)。これは、巻いたり拡げたりする際の全体の強度とバランスを考えた構造なのである。このような絵画作品も、本格的な解体修理の際には、それぞれの紙を慎重に剝がしていく作業を行うことになる。

国宝や重要文化財などの指定文化財の中で、平面作品である書や絵画などの修理を専らとする文化財修理技術者は、一般的な表装技術者と一線を画して自らを「装潢師(そうこうし)」と呼んでいる。

図Ⅲ-3　木造阿弥陀如来座像とその部材(滋賀県守山市 西蓮寺所蔵．写真提供：楽浪文化財修理所)

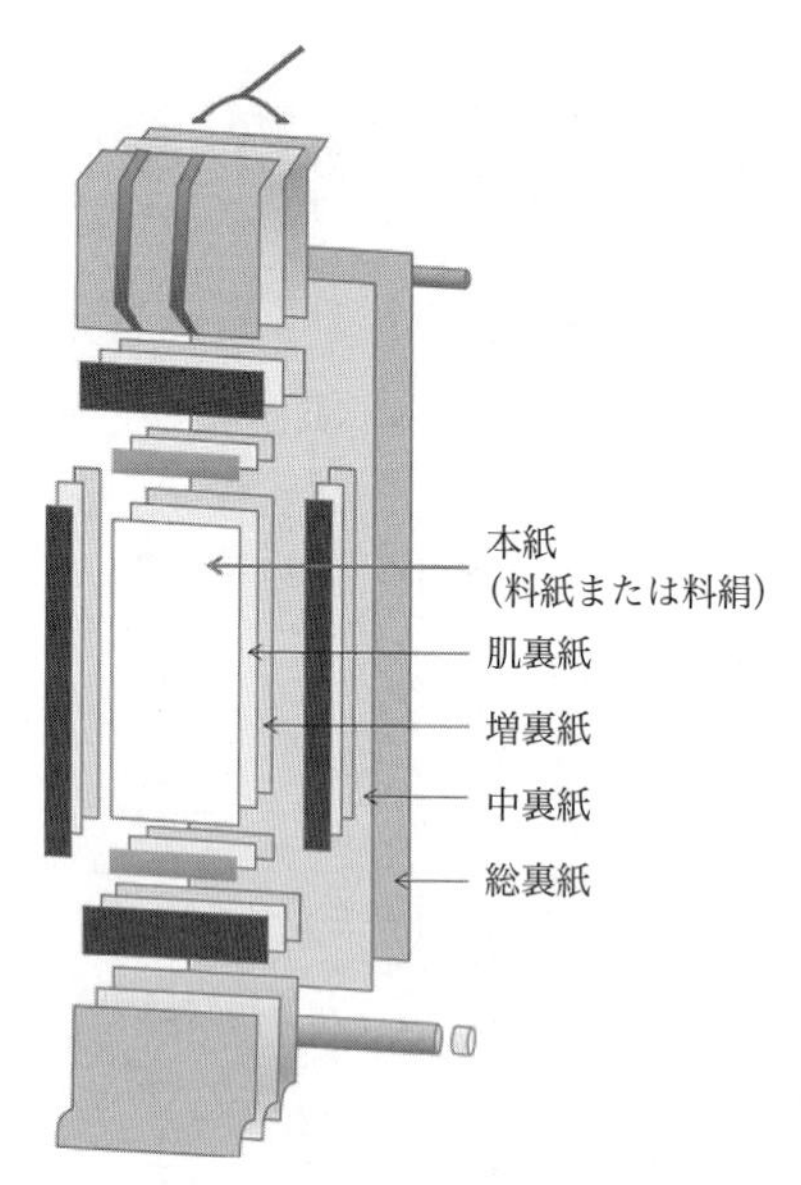

図Ⅲ-4　掛軸の構造(出典：東京文化財研究所ホームページ　https://www.tobunken.go.jp/exhibition/202103/日本絵画の修復/掛軸/)

装潢の「装」は装う、仕立てる、「潢」は紙を染める意味で、正倉院文書にも「装潢匠」、「装潢手」として写経所の職名に登場する。

ここで、国宝に対して装潢師が行った本格的な修理の際に生まれた大発見を紹介しておこう。修理の対象は、京都高山寺所蔵の国宝「鳥獣人物戯画」である。日本絵画史上屈指の作品で日本の国宝中の国宝である。墨線のみで擬人化された動物や人物が躍動的に描かれ「日本最古の漫画」として、日本だけではなく世界的にも有名な作品である。

「鳥獣人物戯画」は、甲乙丙丁の四巻からなるが、甲丙の二巻が東京国立博物館、乙丁の二巻が京都国立博物館に寄託保管されている。朝日新聞文化財団の助成によって、二〇〇九(平成二一)年から四年をかけて、京都国立博物館文化財保存修理所において四巻全巻の本格修理が実施されることになった。私も毎月の工房巡回において、作業の進捗は逐次拝見していたが、新発見の内容を聞いた時にはたいへん驚いたことを思い出す。

四巻それぞれにおいて今回の本格修理によって多くの新たな知見が得られたが、装潢師による本格的な修理ならではの大きな発見は、丙巻に認められた。発見したのは、修理を担当した装潢師大山昭子氏(株式会社岡墨光堂)である。

絵巻において絵や文字が描かれている和紙を料紙と呼び、料紙を右からつなぎ合わせて長尺の一巻が構成される。丙巻は、二〇枚の料紙がつながって一巻を成す。解体修理は、料紙一枚ごとに分解して処置を施していくことになる。

まず表面からの肉眼観察に始まり、細部の顕微鏡観察、次に斜めから光を当て表面の凹凸の観察、そして裏から光を当てる透過光観察では、手漉き紙の繊維の状態も観察することが可能となる。丙巻は、前半一〇枚に囲碁、闘鶏、にらめっこなどに興じる人たちを描いた人物戯画と後半一〇枚は擬人化した蛙、兎、猿、狐の競馬などを描いた鳥獣戯画で構成されているが、そもそもこの両者に一貫したストーリーがあるのかが謎であった。しかも丙巻は全体的に料紙に墨の汚れが目立ち、また料紙の厚さも不均一で極めて薄く決して良い状態であるとは思えなかった。

しかし、修理作業の中で、特徴的な墨の汚れが、他の料紙の反転した図案と一致することに装潢の技術者が気づいた。描画の運筆に際して、たっぷりと墨を使うと料紙の表側から裏側まで墨が染み出てしまう。和紙は水の中に浮遊する紙の繊維を何度も漉いて作るので、ミルフィーユのような多層構造を呈し、表と裏に層状に剝ぐことができる。一枚の和紙を表と裏に剝ぐと、表の墨の痕跡が反転した形で裏側に現れることになる。

例えば、第二紙には烏帽子を被る人物が四人登場するが、第一九紙に大きくできた墨の染みは、第二紙の烏帽子の形とぴったり一致することがわかった(図Ⅲ-5)。この二枚の料紙は、表裏で烏帽子形の特徴的な墨の形だけではなく、染みなどの汚れ、折れ皺、欠失部分まで一致した。これで、和紙の表と裏に別々に描かれていた人物戯画と鳥獣戯画を後世に表裏を剥がして二枚にしたもので、もともとは表裏の関係であることが判明した。第一紙は第二〇紙、第二紙は第一九紙、第三紙は第一八紙という順序で対応し、それぞれの対が元は一枚の料紙の裏表であったわけである。

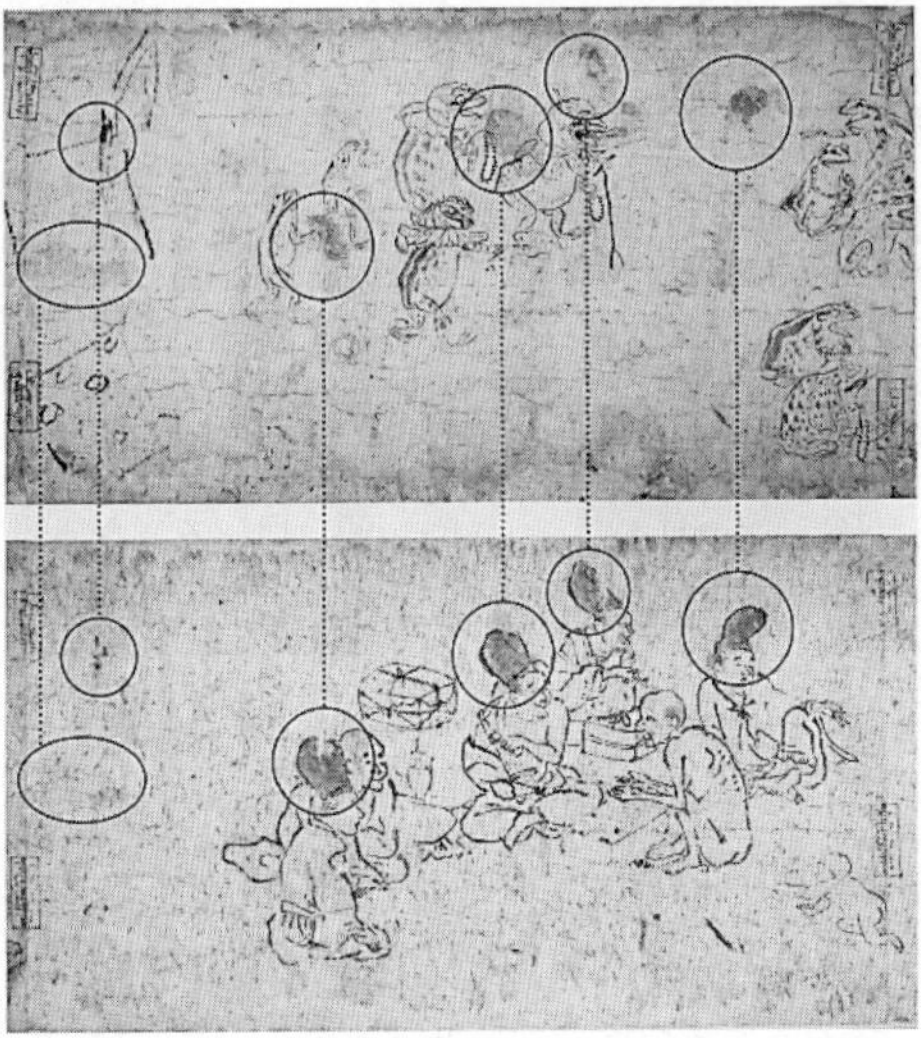

図Ⅲ-5　「鳥獣人物戯画」第19紙(上)と第2紙(下)の比較．対比しやすいように左右反転している(出典：高山寺監修・京都国立博物館編『鳥獣戯画　修理から見えてきた世界－国宝　鳥獣人物戯画修理報告書－』勉誠出版，2016年，83頁)

　最初は一〇枚の料紙を継いだ巻紙の片面に人物戯画、もう片面に動物戯画と、両面に絵が描かれていたが、表裏を二枚に剥いで人物戯画一〇枚、その次に動物戯画一

○枚を継いで、全二〇枚の一巻に仕立て直したわけである。丙巻に展開される人物戯画と動物戯画の関係性に脈絡がない謎が解けたことになる。これは、今回の本格修理で明らかになった事実のほんの一部であるが、装潢師によってじっくり時間をかけて行われた本格修理でなければ到達できなかった発見である。

私は、この発見の重要さを一般の皆さんにも広く知っていただくとともに、文化財修理への理解を深めていただくために、当時文化庁の担当官であった鬼原俊枝氏、若杉準治列品管理室長(当時)らと協議の上、京都国立博物館にて記者発表を段取りした。この大発見が、二〇一一(平成二三)年二月一五日に大きく報道されたことをご記憶の方も多いだろう。

「「大発見」は修理の現場から」を、まさに絵に描いたような事例と言ってよい。

ルールなき修理は「破壊」である

修理が破壊につながるとは過激な表現だが、このことを具体的に物語っている話題として、最近よく取り上げられるのが、スペインの事例である。

スペインのアラゴン州ボルハ市の教会の柱に描かれたフレスコ画、「この人を見よ」(エリアス・ガルシア・マルティィネス作)を、湿気で傷んでいるのを見かねた地元の女性が二〇一二年八月に自分勝手に修理をしたという（図Ⅲ-6）。オリジナルの情報が消失し、修理によって付加されたマイナスの価値で上書きされてしまった事例である。その豹変した姿がインターネットを通じて瞬く間に世界中に拡散し、皮肉なことに修理後の姿を見るために観光客が急増するという思わぬ経済効果を生んだというのだから何とも言葉もない。

図Ⅲ-6　ルールなき修理の例（提供：Centro de Estudios Borjanos/Abaca/アフロ）

　この事例は、不適切な修理が破壊行為となることをわかりやすく語ってくれるが、ここまで極端ではないとしても、日本でも同様なことが起こっているのではないかと危惧するのである。これは対岸の火事ではなく、他山の石としなくてはいけない。

　日本では、国宝、重要文化財など狭義の文化財に対しての修理は、しっかりとした体制で厳格なルールに基づいて行われているが、未指定文化財に対しては、適切な修理を指導するシステムも存在しないし、守るべきルールもないのが現状であることを、改めて強調しておきたい。

未指定文化財の修理をどうするのか

「鳥獣人物戯画」の本格修理のように、国宝や重要文化財などの指定文化財に対しては、文化庁の指導の下、基本的に修理に臨む体制も整えられており、予算的にも時間的にもしっかりとした手順に則って、じっくりと修理に取り組める条件が揃っている。

指定文化財の修理の基本は「現状維持修理」であり、その考え方の根底には、文化財の持つ情報を攪乱させないという理念がある。すなわち、修理にあたって、できるだけ「何も足さない、何も引かない」ということを理想としている。

しかし、未指定文化財、すなわち広義の文化財に対しては、修理に対する指導監督をするシステムが存在せず、守るべきルールに対しての認識も共有されていないのが現状である。未指定文化財は、指定文化財の予備群という位置づけとすると、ルールもないままに修理行為を施すことは、「文化財の持つ情報」を攪乱し、意図はしなくとも結果的には「文化財の価値」を破壊してしまうことにつながることになる(図Ⅲ-7)。未指定文化財の多くは、やはり伝統的な「ものつくり」の技術で作られたものが多いため、「ものつくり」に精通した伝統産業に携わる技術者が、修理を請け負うことも少なくない。伝統産業の分野は主に経済産業省の管轄であり、伝統産業に関わる多くの技術者が伝統工芸の専門技術者として位置づけられている。

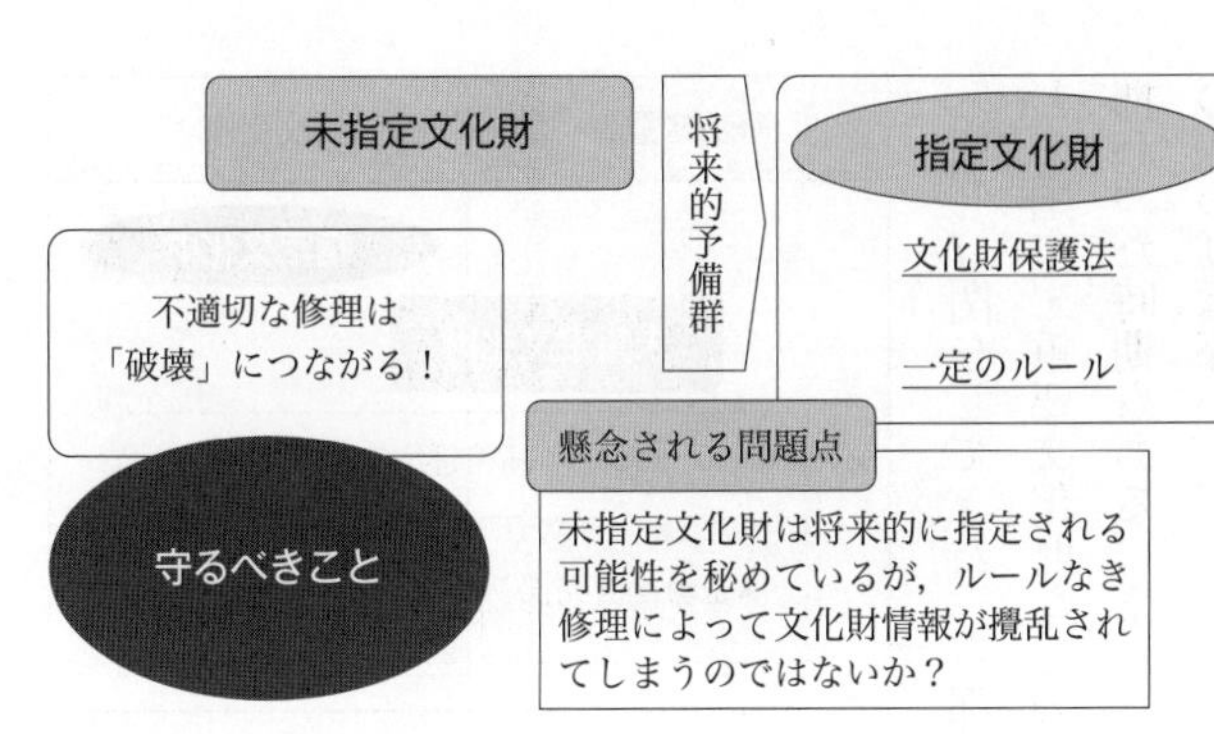

図Ⅲ-7　指定・未指定文化財の現状(著者作成)

例えば、京都府における行政的な枠組みでいうと、文化庁の文化財保護に対応する部署が、京都府教育委員会文化財保護課であり、指定文化財に関する事業はここで統轄することになる。一方、伝統工芸産業に関する事案は経済産業省の管轄であり、京都府としては商工労働観光部の業務となる。従って、未指定文化財の修理に関わる伝統工芸の技術者をまとめるのは、商工労働観光部となる。もちろん、未指定文化財自体には文化財保護課も関わるが、伝統工芸の技術者が行う修理作業は管轄外である。

すなわち、未指定文化財の修理に伝統工芸の技術者が関わるとしても、その修理を文化財保護課が監督指導することはない(図Ⅲ-8)。文化財保護法における文化財指定制度の枠の中で、指定文化財かそうでないかという線引きが行われ、取り扱い方も変わってくる。こういう現状を踏まえて、指定文化財の予備群である未指定文化財の扱いと修

経済産業省
文化庁
指定文化財
未指定文化財
京都府
商工労働観光部
教育委員会
文化財保護課

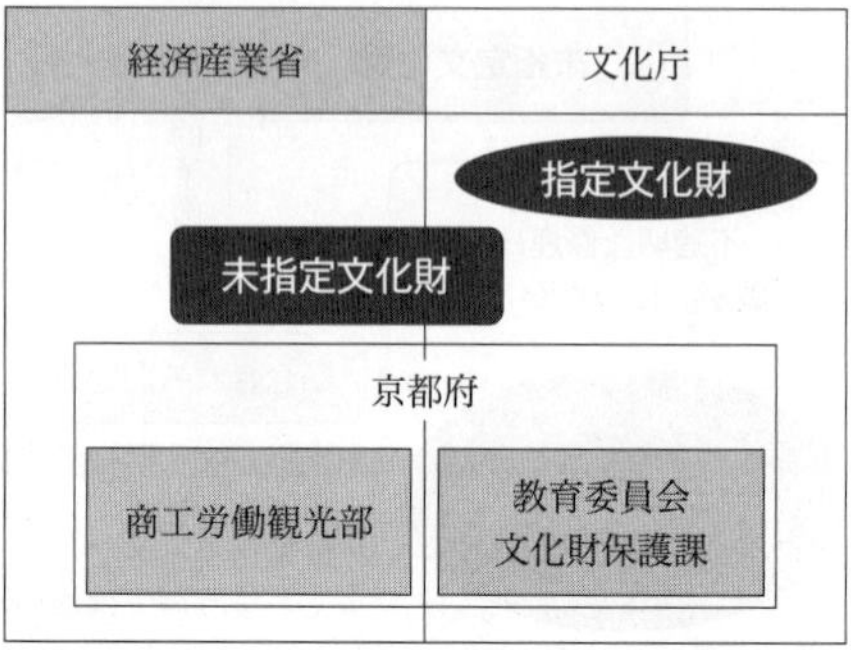

図Ⅲ-8　京都府の文化財行政の枠組み(著者作成)

理に今後どのように取り組んでいくのか、真剣に考えないといけない時期に来ているのではなかろうか。すなわち、「指定・未指定」という線引きが、文化財の修理を取り巻く現状に大きな影響をもっている。圧倒的多数を占める「広義の文化財」を、日本の将来のために次の世代に渡す策を体系化していく必要があるだろう。

京都未来の匠「技の継承」事業

私は、文化財の分野と関わり始めて以来、奈良国立文化財研究所時代には、調査や研究で取り扱う対象は考古遺物を中心に指定文化財であることも多く、その保存修理にもしばしば関与してきた。京都国立博物館では、文化財保存修理指導室長として、絵画や彫刻などの国宝・重要文化財などの指定文化財の修理を専らとする文化財保存修理所の業務管理にも携わった時期もある。また、元離宮二条城保存整備委員会の委員を務めるなど、指定文化財との関わりは深い。

一方、未指定文化財に関しては、阪神・淡路大震災以降、常にその存在と修理の現状が個人的には大きな関心事であった。二〇一三(平成二五)年頃から、未指定文化財の修理に関して、京都府の商工労働観光部産業労働総務課と協議する機会が増えてきた。さらに、京都府商工労働観光部と京都伝統工芸協議会が共催する「文化財保存修復セミナー」が開催されることになり、以下の要領で講師を務めることになった。

第一回　二〇一五(平成二七)年九月二六日(土)「文化財とは何か　日本の歴史と文化を背景とした文化財の定義」

第二回　二〇一五年一二月一九日(土)「保存修復がなぜ必要なのか？　文化財の持つ情報を未来へ継承するために」

第三回　二〇一六(平成二八)年三月一九日(土)「保存修復の歴史と理念を学ぶ　よりよき理念を築くために」

このセミナーの対象は、伝統産業分野の伝統工芸の技術者等である。彼らは、先にも述べたように未指定文化財の修理に携わることも少なくない。指定文化財の予備群である未指定文化財の修理に対してどのように対処するべきかが大きな課題であった。

私は、このセミナーにおいて、文化財の定義から掘り起こし、未指定文化財の置かれた状況、さらには、修理における懸念事項など、本書で述べていることをできるだけ丁寧に説明することを心がけた。すなわち、このセミナーに関わるようになったことが本書を著すことになった契機なのである。

京都府商工労働観光部染織・工芸課では、伝統産業分野における若手技術者養成を目的に「京都未来の匠「技の継承」事業」を実施してきており、文化財保存修復セミナーは、この事業とタイアップすることとなり、その後「技の継承セミナー」と名を変え、私は引き続きコーディネーターを務めることになった。「「技の継承」事業」で実際に実施した修理事例の報告などを含め、毎年二回を基本に回を重ね、本年度(二〇二三(令和五)年)においてすでに二〇回を迎える。「京都未来の匠「技の継承」事業」の発足当初の趣旨は、「長い伝統と歴史の中で継承されてきた無形の財産である京都の伝統工芸の匠の技術を未来へと受け継ぐため、祇園祭等の貴重な文化資料の復元新調等を通じて、若手職人等の技術向上、高度かつ希少な技術の次世代への継承を図る事業」と位置づけている。これは、事業起案時点での表現であるため、商工労働観光部としては、文化財修理と関わる直接的な表現をあえて避けているが、現在では、文化財を管轄する教育委員会文化財保護課との連携の中で、未指定文化財の修理案件にも関わる事業も展開されるようになってきている。これは、「技の継承セミナー」の積み重ねがもたらした成果のひとつとして評価してよいだろう。

「技の継承セミナー」の中で、私が繰り返し述べているのは次の諸点である。

①未指定文化財は指定文化財の予備群であるため、「文化財の持つ情報」を攪乱しないように心がける
②ルールなき修理は、破壊行為である
③修理によって、勝手な「付加価値」を付けない
④修理計画を立て、修理の記録を残す

このセミナーの対象者である伝統産業に従事する伝統工芸の技術者は、「ものつくり」の技を駆使して自らの作品を作ることを生業としているのだから、自分の作品には創意工夫をした「付加価値」を付けることが要求される。しかし、文化財の修理は、「ものつくり」の技自体は必要とするが、技術者自身の「付加価値」を期待するものではない。先達が制作した技の情報

をできるだけそのままの姿で残すのが、修理の基本なのである。

修理という行為によって、本来の文化財情報に自分が関わったという痕跡を付け加えることは、下手をすると過去の情報を全部消し去って自分が関わった情報だけを上書きしてしまうことになりかねない。すなわち、修理がただの破壊行為でしかなくなるわけである。この点を、まず理解してもらうことが最も大事なことなのである。

「文化財の持つ情報」を攪乱させないために、修理に取り掛かる前に、できれば事前調査を念入りにしたいところであるが、未指定の文化財を調査する体制はほとんど整っていないのが現状である。また、修理というとどうしても仕上げをきれいにしなくてはいけないという意識が先行して、古い彩色層などをしっかり確認もせずに除去してしまいがちであるが、これも文化財の経年情報を消滅させることにつながる。繰り返すが、文化財の持っている情報はできるだけ真摯に引き出すことが大事であり、作品を漫然と見るだけではなく、そこに隠れた情報にまで気を配る必要がある。修理の方針を決めずに、いろいろなことを闇雲にやってしまうと、知らぬ間に情報は消えてしまう。いったん消えた情報は二度と戻らないということをしっかり自覚しておく必要がある。

具体的に「やるべきこと」、「守らないといけないこと」を目標として挙げることになる（図

Ⅲ-2、7)。しかし、「やるべきこと」というのは建前論であり、やるべき項目だけを目標にしていては、逆に知らないうちに「やってはいけないこと」をやってしまうことがあり、逆にそれに気づかないこともあり得る。「やるべきこと」の裏腹として「やってはいけないこと」がある。この微妙な違いを見極めるというのはたいへん難しいことであり、これを乗り越えるために、経験の積み重ねが必要となる。実際の修理作業に経験知が加味されて、「やるべきこと」と「やってはいけないこと」の双方が見えてくることになるのではなかろうか。従って、やるべきことともに、最初から難しいことをいわないがこれだけはやめておこう、やってはいけないよ、ということを最低限守るルールをしっかり確認することが大事になるだろう。

そして、さらにもう一つ課題がある。それは修理にあたる技術者だけの問題ではなく、指定予備群の未指定文化財の所有者の意識の問題である。指定されていないということでぞんざいな扱いをしないこと、そしてルールなき修理に甘んじないことを肝に銘じてもらう必要がある。

「技の継承セミナー」では、以上のようなことを繰り返し伝えながら、修理にあたってはとにかくどんな作業を行ったかの記録を残すことを求めている。これが、将来に修理を行う時の大事な情報になるということを強調している。私は、未指定文化財の修理の重要性を一般に周知するためにも、「京都未来の匠「技の継承」事業」とともに、「技の継承セミナー」を継続していくことが重要であると考えている。

「京都府暫定登録文化財」の創設

二〇一七(平成二九)年一月三日の『京都新聞』一面のトップ記事を見てたいへん驚いた。紙面に「府文化財に「指定予備群」」という大きな文字が躍っていたのである。京都府内の地域で守り継がれながら文化財に指定されていない美術工芸品や古文書などの中で、価値の高いものを新たに府指定文化財の「予備群」と位置づけ、所有者に修復費を助成する制度を設けるというのである。眠れる文化財を積極的に掘り起こし、保存・修理につなげる全国初の試みと位置づけている。私は、「技の継承セミナー」の中で、未指定文化財を指定文化財予備群と位置づけ、一貫してその重要性を訴えていたが、同じタイミングでそれを実際に文化財保護制度の中に取り込んで、制度化に踏み切ろうという京都府の英断に敬意を表したものである。

その後、二〇一七年四月一日から、京都府教育委員会文化財保護課において、「京都府暫定登録文化財」が正式に制度化されることになった(図Ⅲ-9)。京都府は、歴史的にも長く都が置かれた地でもあるため、すでに国宝・重要文化財となっている指定文化財の数も当然ながら多いが、これは広大な未指定文化財の海に浮かぶ氷山の一角である。地域に根差して大事にさ

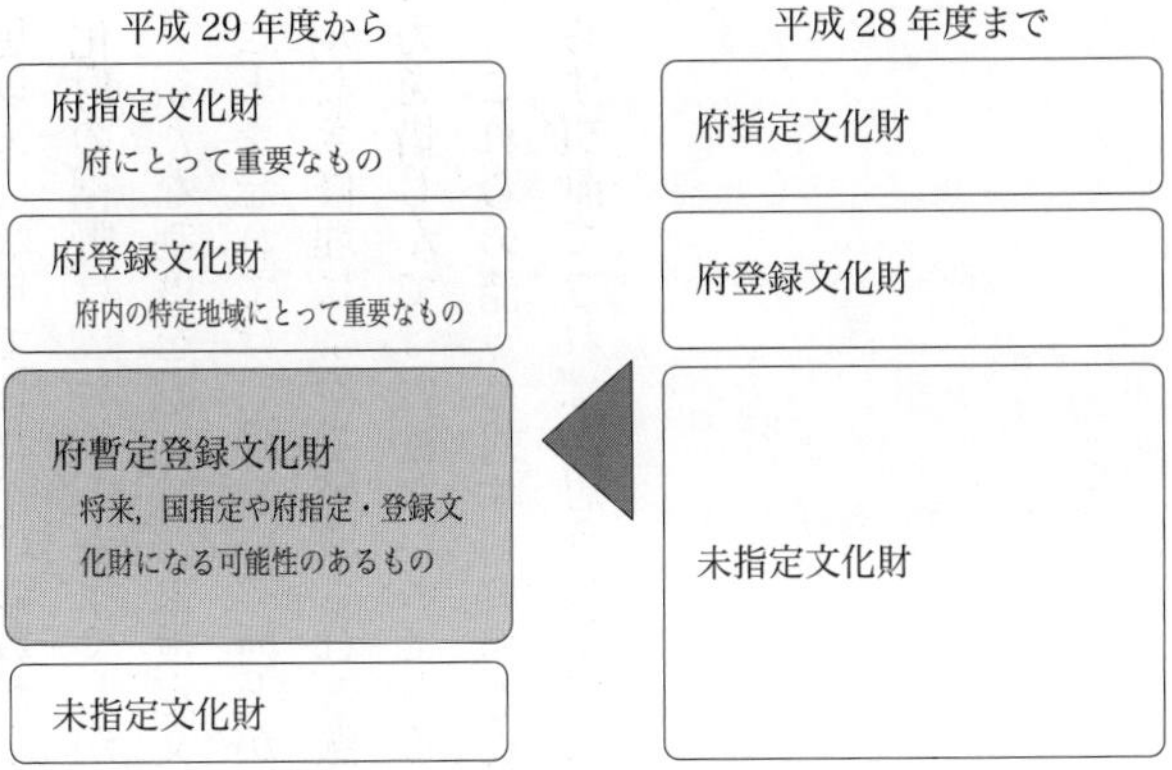

平成29年度から

府指定文化財
府にとって重要なもの

府登録文化財
府内の特定地域にとって重要なもの

府暫定登録文化財
将来，国指定や府指定・登録文化財になる可能性のあるもの

未指定文化財

平成28年度まで

府指定文化財

府登録文化財

未指定文化財

図Ⅲ-9　「京都府暫定登録文化財」の制度化（出典：京都府教育委員会文化財保護課作成資料を一部改変）

れているがまだまだ一般的には知られていない重要な文化財が未指定のまま多数存在している。これらを新たに指定文化財にしていくためには、専門家による綿密な調査が必要であり、さらに京都府文化財保護審議会の議論にも時間がかかる。しかし、これら未指定文化財の中には保存状態も悪く、転売や散逸、そして消失の危険性も大きいものがあるため、迅速な救済措置が必要なのである。暫定登録文化財制度が、このような現状を少しでも改善することにつながることを期待している。

京都府下全域の市町村から、有形文化財として、建造物と絵画、彫刻、工芸品、考古資料などの美術工芸品、さらには記念物として史跡、名勝などを合わせて、二〇二三(令和五)年四月一日時点で、総数一三六八件の暫定登録文化財が登録されている。発足以来、数年でこれだけの数が上ってきていることをみても、広義の文化財としての未指定文化財の裾野は広いことがよくわかるだろう。

新たな制度を設けて、未指定文化財を守ろうとしても、もう一つ重要な問題が残されていることを忘れてはいけない。何とか救いの手を差し伸べた文化財が未指定であるがために、ルールなき修理によって破壊される懸念がある。未指定文化財に対する修理体制を確立していく努力を惜しんではいけないのである。

これらの諸点に対する啓発も含めて、「技の継承セミナー」の継続を通して今後とも少なからず貢献できればと思う次第である。

IV

「複製」は日本文化を支える

一　「複製」とは何か？

「複製」にがっかり？

博物館、特に考古・歴史系の博物館を訪ねると、「複製」と表示されている作品に出合うことがよくある。博物館は「ほんもの」を拝見できる場と期待しているのに、複製品と掲示されると、「何だ、複製か」とがっかりする方もいるのではなかろうか。その気持ちもわからなくもないが、日本の博物館に並んでいる複製のレベルはおそらく世界でもトップクラスであることは間違いない。

私自身も、例えば、藤ノ木（ふじのき）古墳（奈良県斑鳩（いかるが）町）から出土した国宝の馬具類をはじめとして、複製の制作現場に何度も立ち会ってきたが、型取り、成形、そして彩色と各工程で駆使される職人技には感嘆したものである。実際に仕上がった複製は、どちらが「ほんもの」なのかわからないほど、精度の高い出来栄えであった。歴史・考古系の展示では、展示の構成上、時代的な背景や地域的な特徴などに対する具体的な理解を促すために、「ほんもの」とともに補完的に複製品を利用することは十分意味があるのである。

しかし、文化財保護法の改正に伴い「文化財の活用」にウエイトが置かれるようになると、「複製」が従来の役割の枠を越えて、文化財のさまざまな分野において、「ほんもの」に代わりうる存在としての新たな立ち位置を得ようとしている。美術・芸術系の展示にも複製品への期待は高まり、最近では高度なデジタル技術に基づく美術作品の高精細な複製の制作の需要が増している。

ここでは、ほんものが大事であるとする「原物至上主義」を踏まえつつ、「複製」の持つ意味とその役割を改めて問い直し、これからの「文化財の活用」において、「複製」をどのように活かしていけばよいのか考えてみることにしよう。

コピー、レプリカ、そしてフェイク

「複製」と同様の意味を持つ言葉として、「コピー」、「レプリカ」などが日常的に使われる。「コピー」は、現代のわれわれの身の周りに溢れる文書の複写や、デジタルデータの情報移行に使われることが多い。また、「レプリカ」は、もともと優勝カップの複製を指すもので、オリジナル作品の複製を指す言葉としてレプリカ資料という表現もあるように、コピーよりは文化財に対して使うこともあるが、文化財分野での最近の傾向として、特に「ほんもの」に肉薄する高精細技術を駆使したものは「複製」と表現することが多い。本書でもこれに従うことにする。

また、「フェイク」という言葉も最近よく耳にする。「ほんもの」に極めて近い「にせもの」としての意味では「複製」と同じことになろうが、根本的に違う点は、「複製」ははっきりと「複製」と正直に名乗るが、「フェイク」は、「にせもの」でありながら「ほんもの」と偽称することにある。すなわち、「贋作」として人を騙すことを目的としているわけである。

一九九〇(平成二)年にロンドンの大英博物館において、たいへんユニークな展覧会が開催された。"FAKE? The Art of Deception"(「フェイク? 欺きの美術」、図Ⅳ-1)である。大英博物館などの諸機関の長い歴史の中で一度は正式に「ほんもの」として収蔵するに至った絵画、彫刻、宝飾装身具、写真など、「贋作」の一級品とともにルイ・ヴィトンの鞄からラコステのワニのロゴの「ほんもの」と「にせもの」まで展示するというたいへんバラエティーに富んだ展覧会であった。

ちょうど会期中の六月一四日から三日間にわたって開催された大英博物館主催の国際コロキュウム「金属文化財の着色と装飾」のウェルカムパーティー会場がこの展覧会場にセットされ、講演に招待されていた私は期せずして「フェイク?」展を見学することができた。ワイングラス片手に会場を回れることにも驚いたが、三〇年余を経た今でも強く印象に残っているのが、この会場入口に佇んでいた日本の「法隆寺百済観音像」である。

この百済観音像は、新納忠之介が大英博物館美術部長ローレンス・ビニョンからの依頼によって、一九三〇（昭和五）年に摸刻した「複製」である。この時、新納は鷲塚与三松とともに、原像と同様に樟（くす）一木造りで同時に二体制作した。もう一体は東京国立博物館が現在でも所蔵している。岡倉天心の薫陶を受けた新納は、日本美術院第二部を国宝修理の場として牽引し、荒廃した奈良の寺々に残る満身創痍の仏像の修理を実践し、文化財保護の先駆的役割をはたした人物である。

図Ⅳ-1　「FAKE？」展入口の様子（出典：『芸術新潮』1990年7月号，新潮社，5頁）

文化財修理の基礎を築いた第一人者である新納忠之介が制作した由緒正しい「複製」を、「フェイク？」展の入口にわざわざ展示するとはブラックジョークかと目を疑ったが、その横に古代ローマ時代の原品をもとにドイツのA・W・Fr・キスター社が一九世紀に制作した白磁製の「クリュティエ」像が置かれていることからその意図が読みとれた。しっかりとした由来のわかっている「複製」をあえて導入部で展示することで、「複製」と「贋作」が裏腹の存在であることを示したといえよう。これが、展覧会名に「?」が付く所以なのだろう。ちなみに、白磁製の「クリュティエ」像は、東京国立博物館にも「複製」作品の一点として収蔵されている。また、新納忠之介の制作した「百済観音像」の「複製」は、今では大英博物館の日本ギャラリーに常設され、日本文化の理解のために一役買っている。

この会場でもう一つ私の目を引いたのが、「贋作」を見破る科学的調査コーナー「ニセモノを見破る科学」であった。これは、大英博物館リサーチ・ラボラトリーの当時のリーダー、ポール・クラドック博士が主導した企画であり、年代測定で有名な「炭素14年代法」に始まり、土器の年代測定に有効とされる「熱ルミネッセンス法」、木の年輪の生長パターンから年代を解析する「年輪年代法」などを紹介、一七世紀オランダの巨匠レンブラントの板絵の贋作判定は、板の年輪から決着がついた調査事例の一つとして展示されていた。さらに、X線ラジオグラフィー、電子顕微鏡など、さまざまな調査機器を並べて、いわゆる科学的手法によって「真贋 authenticity」を見極めるテクニックを披露していた。前章の文化財情報の項で触れた、日本でいう文化財科学の分野は、欧米ではもともとは真贋判定のニーズから始まったという一面を持つことを教えてくれる有意義な展示であった。

「摸刻・模写」から始まった「複製」

洋の東西を問わず、絵画や彫刻、さらには書の分野においても、先人の作風と技術を学ぶ複製の制作は基本修練の一環として古くから行われてきた。特に日本では、複製制作は、絵画や書の分野では「模写」、彫刻の分野では「摸刻」として位置づけられ、「うつし・まなぶ」ことは伝統的な古典技法を学ぶたいへん大事な手段であった。仏像では、鎌倉期の仏師快慶が、天平彫刻の傑作である東大寺法華堂の執金剛神立像を摸刻している。また、室町時代に独創的な水墨山水画風を確立した雪舟は中国南宋の山水画を模写し、そして江戸時代の狩野派の絵師たちは、雪舟の模写から多くを学んだ。

このように奈良時代から江戸時代にかけては芸術活動の一環として模写・摸刻が行われてきた。俵屋宗達（たわらやそうたつ）の「風神雷神図屛風」（一七世紀前半）は琳派を代表する作品であるが、一八世紀前半に尾形光琳（おがたこうりん）が模写し、そして一九世紀前半に酒井抱一（さかいほういつ）がそれをさらに模写していることでも有名である。明治時代に入ると、創作活動の基本を学ぶという従来からの目的に加えて、唯一無二な文化財の保存に寄与するという新たな目的が複製制作に加わることになった。

それは、廃仏毀釈に伴う仏像や仏画の荒廃、さらには文化財の海外流出に直面し、文化財の

図Ⅳ-2　菱田春草「一字金輪像(模本)」(1897年. 出典：ColBase[https://colbase.nich.go.jp/]

重要性に目覚めた証といえるだろう。帝国博物館初代館長町田久成は、廃仏毀釈の渦中にある一八七〇(明治三)年、正倉院や法隆寺の宝物調査の際に、正倉院宝物の複製制作を始めている。その後、岡倉天心やフェノロサの提唱により、文化財の模写、摸刻は、帝国博物館を中心に国家事業的な展開をみることになる。東京美術学校長であり、帝国博物館美術部長であった天心に抜擢された菱田春草(ひしだしゅんそう)も、のちに近代日本画の大家となる横山大観や下村観山らとともに、模写事業に参加した一人である。若くして逝った春草の制作した「一字金輪像(模本)」(一八九七(明治三〇)年、図Ⅳ-2)は、彼の遺した模写の中でも最も秀逸とされている。また、近代木彫の先駆者的存在である竹内久一は、一八九一(明治二四)年に月光菩薩立像、その翌年には東大寺戒壇院の広目天立像、興福寺の維摩居士座像、翌々年に東大寺法華堂の執金剛神立像、興福寺の無著立像の模造を行っている。先に紹介した大英博物館にある新納忠之介が制作した「百済観音像」の複製もこの流れの中で摸刻されたものと考えてよい。決して「フェイク」ではないのである。

このような歴史的な経緯の中で模写・模造された作品の多くは、現在でも東京国立博物館の展示に活用されており、文化財の「複製」が近代日本の美術教育の一翼を担ってきた貴重な存在として位置づけることができる。

何のための「複製」なのか

ここで改めて文化財保護における「複製」の役割を考えてみると、次に挙げる項目に集約できる。

展示・活用
教育・研究
制作技術の継承
災害への対策
信仰対象としての「お身代わり」
海外流出作品の「里帰り」として
オリジナルな姿の復元

もちろん、それぞれの複製制作が単一の役割だけを担うわけではなく、一つの複製が複合的な役割を担う場合がほとんどであるが、最終的には文化財保護の特に活用的側面に対する貢献度は大きいと言えよう。ここでは、複製制作の役割をさまざまな事例を通して考えてみることにする。

二 「複製」の可能性

展示に貢献する「複製」

文化財の展示において、複製品の活用を古くから求めてきたのは、やはり考古・歴史系の博物館だろう。例えば、祭祀儀礼に使用する器物の変遷を時代の流れに沿って説明する場合や、一つのテーマの体系的な構成を具体的に示す場合など、代表的な遺物の複製を交えて展示構成を考えることはたいへん効果的である。実際の展示の際に、オリジナルである「ほんもの」が脆弱である場合には展示方法の工夫や展示環境への特別な配慮が必要となるが、複製品ならそれも最小限で済むなど、展示のための制約から解放されることにもなり、展示効果を上げることができる。また、展示には照明が不可欠であるため、光の影響を受けやすい有機系などの材料でできた作品などは、強い照明は避けなければならないし、長期の展示に耐えることもできないため、複製品の活用はたいへん重要となる。

光の問題だけではなく、作品の展示にあたっては、温湿度などの展示環境の影響は、考古・歴史系の文化財だけではなく、当然ながら美術工芸分野の作品に対しても大きな問題である。文化財保護法では、絵画作品や工芸品など、環境の影響に敏感で脆弱な指定文化財の展示・公開に対して、照明と温湿度の展示環境とともに展示期間に対しても厳格な制限を設けている。博物館や美術館の展示に対して、「暗くて作品が見にくい」、「展示期間が短かすぎる」というクレームをたまに受けることがあるが、これに対しては文化財保護という観点からやむを得ない措置であることをご理解いただくほかない。暗くした展示室では、「作品保護のために照明を落としています」という表示が一般的であるが、かつてボストン美術館の日本美術展示の一角にある浮世絵展示のコーナーで次のような掲示を見かけ、感心したことがある。

"Lights levels in this gallery are kept low to preserve these rare works of art for future generations."

照度を落とすのは、貴重な作品を「これからの世代のために残す」ためであるという理由を簡潔に伝えた説得力のある説明として大いに評価してよいだろう。

このように、学芸員は展示公開と保存という相矛盾する概念の中で、いかにして文化財の活用を図るのか、という問題に常に悩まされている。例えば、特別展の会期を前半と後半に分けて、作品の展示替えを行うということも展示期間の制約に対する対策の一つなのである。このような状況を解決する糸口の一つとして、複製の利用を積極的に考える時期に来ているのではなかろうか。すべての展示作品が常に「ほんもの」であることは理想であるが、最近では高度なデジタル技術に基づく美術作品の高精細複製品も制作されるようになってきており、文化財活用の活性化の機運に即した複製品への期待は、美術・芸術系の展示にも広がりを見せつつあるようである。

複製は「〝原寸大〟の美術全集」である

私は、複製作品を展示で活用するメリットは、なんと言っても、明るいところで、十分に近づいて鑑賞することができる点にあると考えている。専門家でもなかなかじっくりと見ることができない貴重な作品を明るいところで原寸大の大きさで鑑賞できるわけである。

最近ではネットの情報検索で、世界中の主要な美術作品を簡単にみることができるようになってきたが、かねてから絵画や彫刻などさまざまな文化財と出会う場を提供してくれる役割を担うのは大判の美術全集であった。ただし、コンピュータやスマートフォンの画面にせよ、美術全集の紙面にせよ、形も大小さまざまな文化財が限られたスペースに閉じ込められており、ほんものの大きさが醸し出す臨場感を実感することはなかなか困難である。一方、原寸大の複製品によって、実物大の作品と直接対面することができることになると、専門家ばかりではなく、子どもたちも含めて一般の方々の美術作品鑑賞の入門としてたいへん効果的なのである。

何度も繰り返すが、国宝や重要文化財などの貴重な作品は長期間の展示が困難なものも多く、さらに光の影響を最小限にとどめるために照度を落とす必要がある作品もある。せっかくほんものに出会えても、展示ケースのガラス越しで、しかも照明が暗くて細部もなかなか見えづらいため、その価値を実感しがたいのが現状ではなかろうか。しかし、複製では、展示期間や展示環境の制約を少々緩和しても大丈夫である。

複製による〝原寸大〟の作品が並ぶ美術館として存在感を示しているのが、徳島県鳴門市にある大塚国際美術館である。鳴門海峡の白砂を原料に開発された大型陶板に、特殊な技術で焼

図Ⅳ-3　特別展「美の記憶」ポスター(高岡市美術館)

きつけられた原寸大の古代から現代に至る西洋絵画の代表作、一〇〇〇点余が一堂に会する展示は実に壮観である。何しろ明るい会場で原寸大で名画が鑑賞できるのであるから、美術史入門の場としてたいへん贅沢な空間である。

特に、二〇〇七(平成一九)年、開館一〇周年記念事業として設けられたヴァティカンのシスティーヌ礼拝堂のミケランジェロの手になる天井画と壁画の完全復元は圧巻である。ヴァーチャルな画像・映像だけでは味わえない臨場感溢れる実物大の空間の中でじっくりと細部まで見学してから現地に赴くと、改めてほんもののすばらしさを落ち着いて堪能することができるだろう。これが、〃原寸大〃複製の醍醐味といえよう。

私は、このような複製の持つメリットを最大限に発揮する場として、実験的な展覧会を企画した。特別展「美の記憶－よみがえる至宝たち－」(二〇一六(平成二八)年九月一六日～一〇月二三日、於 高岡市美術館、図Ⅳ-3)である。

この展覧会は、コロタイプ印刷で有名な京都の老舗出版社、株式会社便利堂がちょうど創業一三〇年を迎えるタイミングと重なり、便利堂がこれまでにコロタイプ印刷によって制作した複製作品だけで展示構成した展覧会である。この展覧会のメインは、「法隆寺金堂壁画一二面」(原寸大)である。一九四九(昭和二四)年に焼損する以前の姿を、一九三四(昭和九)年から始まった「法隆寺昭和大修理」事業の一環として写真撮影したガラス乾板(重要文化財)によって便利堂がその当時に製作した原寸大のモノクロ版の複製である。

大壁四面、小壁八面、計一二面の壁画は、大壁は高さ約三・一メートル、幅約二・六メートル、小壁も高さは同じで、幅約一・五メートルもある大きなものなので、これまでに一二壁すべての複製を、法隆寺金堂内部と同じ配置で一斉に展示されたことがなかったが、この展覧会でそれを初めて実現し、臨場感溢れる展示空間を作り上げることができたことでも意義のある展覧会であった。

また、巻物の展示にも工夫した。中には一〇メートルに及ぶ長尺であるため、ほんものの展示では、展示ケースの中で、部分的に一場面程度しか見ることができない国宝「伴大納言絵巻」や国宝「鳥獣人物戯画」(甲巻)、さらには俵屋宗達の絵に本阿弥光悦が筆を入れた重要文化財「鶴下絵三十六歌仙和歌巻」などに対して、長い展示台を用意し、冒頭から最後までほぼその全貌を原寸大で展開して見ることができるように展示するなど、複製品ならではの醍醐味

図Ⅳ-4　複製による長尺絵巻の展示風景（特別展「美の記憶」高岡市美術館．著者提供）

を堪能できる展覧会とした（図Ⅳ-4）。

ポスターのキャッチコピーには、「複製でみる〝原寸大〟美術全集」と謳い、明るい会場で、日本文化を代表するすばらしい作品群を一堂に会して、美術全集のページをめくるようにじっくりと鑑賞することができる贅沢な展示となった。このように、これまでに味わえなかった文化財の魅力を再発見することができることも、複製にしか達成できない効用ではないだろうか。

世界遺産「法隆寺金堂」の壁画は複製

かねてからすぐれた先人の作風と技術を学ぶための基本的な修練の場として位置づけられていたのが複製の制作であった。絵画の分野では「模写」、彫刻の分野では「摸刻」である。明治時代に入ると、新たな創作活動の基礎として伝統的な古典技法を学ぶことに加えて、唯一無二な存在である文化財を保存するという目的が加わった。これは、廃仏毀釈に伴って、仏像や仏画などが荒廃する状況、さらにはさまざまな文化財の海外流出に直面し、文化財の重要性に目覚めた証といえるだろう。文化財の保存のための模写・摸刻は、国家事業的な展開をみることになる。

このような近代化の波の中、文化財の「コピー」に新しい技術として導入されたのが写真技術である。もっとも、当初の技術は単に調査の記録としてようやく使える程度でしかなく、精確な「コピー」としての役割を担うにはまだ程遠い段階ではあった。人の手による模写や模造の出来栄えはその制作担当者の技量に左右されるのは当然だが、写真機などの機械的な装置を使った「コピー」に要求されるのは、情報の「入力」部分と「出力」部分の双方のメカニズムのバランスである。この双方が高度にバランスよく機能して初めて、役に立つ成果を生み出すことができる。これは、現代のわれわれの日常生活の中で定着しているスキャナ(入力)とプリンタ(出力)の関係からみても容易に理解できることだろう。

デジタル技術が開発される以前に、それが成功した事例の一つが、コロタイプ印刷という出力法である。江戸時代末期にフランスで発明され、明治時代に入って日本でも開花した技術である。コロタイプの「コロ」とは「膠(にかわ)」すなわち「ゼラチン」のことであり、カメラのレンズを通して入力した光の情報が写真原板に記録され、最終的にガラス板に薄く塗ったゼラチン膜に刻まれ、このゼラチン膜の微妙な凹凸とインクとの兼ね合いで精巧なニュアンスを表現する印刷物として出力されるのである。自然な濃淡の階調で写真の再現性に優れた技法である。

コロタイプでコピー制作された複製作品は、従来の人の手による模写とも、最新のデジタル技術による印刷とも異なる独特の存在感を持っている。精確に大きさを再現した姿を印刷機によってプリントアウトするということから言えば、いわゆる機械的な作業の産物であるが、その工程には幾重にも人の手が関わっている。しかも、熟練した人間の眼と手の感触が加わらないと実現できない、極めてアナログ的な手間のかかる職人技の成果物なのである。

文部省が一九三四(昭和九)年から始めた「法隆寺昭和大修理」(一九三四〜一九八五(昭和六〇)年)の一環として、一九三九(昭和一四)年に「法隆寺壁画保存調査会」が発足し、翌年の一九四〇(昭和一五)年から、壁画一二面の原寸大完全模写を行うことになった。壁画全一二面の「現状模写」としては、一八八四(明治一七)年頃、国からの依頼を受けた桜井香雲(こううん)が手掛けたものがあるが、この事業として改めて、新井寛方、入江波光、中村岳陵、橋本明治(めいじ)を班長とする四班構成で、コロタイプ原版を用いて印刷したものを下図として描く作業を実施することになった。しかし、この壁画の完全模写作業は、太平洋戦争の激化のため中断せざるを得なくなり、第六号壁など数面は完成をみたものもあるがそれ以外は未完のまま終戦を迎えた。

戦後、模写作業が再開されたが、一九四九(昭和二四)年一月二六日、不慮の火災で金堂が焼損し、壁画自体も罹災する事態が起こった。この惨事が契機となり、文化財保護の機運が高まり、翌年の一九五〇(昭和二五)年に「文化財保護法」の成立をみたことはすでに述べた通りである。

その後、金堂内部の柱や壁面などの焼損した部材は新しく建設した収蔵庫に保存し、火災前に実施していた詳細な調査結果に基づいて復元した新材と取り替えることによって、一九五四(昭和二九)年に金堂自体は再建されたが、堂内の壁は何も描かれていない状態であった。しかし、一九六七(昭和四二)年になって、改めて金堂壁画の「再現模写」が実施されることになった。

この作業は、戦前の模写と同様、一九三五(昭和一〇)年撮影され、その後便利堂が保管していたコロタイプ原版によって和紙に薄く印刷したものを下地に用いて、前回の模写や原色図版をもとに彩色する手法をとった。この時使用した原色図版は、壁画の原寸大撮影の時に同時に撮影された四色分解ガラス原板によって作成したものであり、焼損前の姿を知るうえで大きな手掛かりとなった。戦前のあの時期に、全壁面の四色分解撮影が行われていたこと、また同時に一部ではあるが赤外線写真も撮影されていたというのだから驚きである。

ここで、一九六七年からの新たな模写は、戦争によって中断した模写とは、その目的が全く

図Ⅳ-5　法隆寺金堂壁画
（再現壁画．第十二号壁，十一面観音菩薩像，前田青邨ほか筆．出典：法隆寺監修，朝日新聞社編『法隆寺再現壁画』朝日新聞社，1995年，25頁）

異なっていることを指摘しておきたい。私は、戦争で中断した模写を「第一期模写」、焼損後に再開した模写を「第二期模写」と位置づける。「第一期模写」の目的は、古代の仏教絵画の最高峰に位置する金堂壁画の現状の姿を模写として残しておきたいという本来の「模写」が目的であったが、「第二期模写」は、焼損で失った壁画に対する喪失感を埋めるとともに、かつて堂内を荘厳していた壁画の仏の元の姿の「お身代わり」として再現させて欲しいという期待を背負っての複製作成という役割があったと考えるのである。

「第二期模写」は、安田靫彦（ゆきひこ）、前田青邨（せいそん）、橋本明治、吉岡堅二の四人を代表とする精鋭の日本画家たちが、助手も含めて総勢五〇名にものぼる陣容で、一年がかりで翌年の一九六八（昭和四三）年に完成させ、火災当時には取り外して別置されていた内陣小壁の飛天図の模写とともに、金堂に嵌め込まれた（図Ⅳ-5）。焼損から約二〇年の年月を経て、ようやく内部が壁画によって荘厳された金堂が再現されることになり、われわれが現在その姿を見ることができるのである。

このように、焼損事故後、関係者の並々ならぬ努力の結実のもと法隆寺金堂は見事に復元され、一九九二(平成四)年には「法隆寺地域の仏教建造物」の一つとして、姫路城とともに日本最初の「世界遺産」に登録された。また、金堂壁画一二面に対して一九三五(昭和一〇)年に撮影された写真のガラス原板は、古代東アジアを代表する仏教絵画である法隆寺金堂壁画の質が高い写真原板として学術的価値が高いと評価され、重要文化財の指定を受けることになった。

文化財は唯一無二であるからこそ災害などによる喪失というリスクも想定しておかなくてはいけない。その観点からも複製は必要だといえるわけであるが、法隆寺金堂壁画の複製は、結果的にはその実践となってしまったのである。

法隆寺金堂が焼損した一月二六日は「文化財防火デー」とされ、毎年この日を中心に貴重な文化財を火災・震災その他の災害から守るために、文化庁と消防庁が協力して、全国で文化財防火運動を展開している。法隆寺金堂の焼損事故が、「文化財保護法」成立の原点ともいえる所以がここにある。

「模写」が守る世界遺産「二条城」の威風堂々

建造物内の壁画の模写として、法隆寺金堂壁画模写事業は、近代以降に大規模に展開した本格的事業の事例と位置づけられる。壁画は壁そのものに描かれているため、建造物と切り離せないが、障壁画(しょうへきが)も同様、建造物に付帯する存在として、やはり建造物と一体として考えなくてはいけない。障壁画とは、城郭や寺院などの襖(ふすま)や衝立(ついたて)、さらには天井、床の間、違い(ちが)棚、長押(なげし)の上などの壁面に貼り付けた絵画の総称である。

世界遺産でもある京都の二条城は、徳川家康の創建になるが、一六二六(寛永三)年、徳川家光の時代に手を加え、後水尾(ごみずのお)天皇の行幸に向けて本丸、二の丸御殿、天守閣が完成した。本丸、天守閣は火災で焼失し、当時の姿をとどめている二の丸御殿が、国内の城郭に残る唯一の御殿群として国宝に指定されている。この二の丸御殿内部には、御用絵師狩野探幽(たんゆう)の率いる狩野派による寛永期に描かれた障壁画を含む約三六〇〇面の障壁画とともに、多彩な欄間(らんま)彫刻や錺金(かざり)具によって装飾され、将軍の御殿にふさわしい豪華絢爛を誇る特別な空間が形成されている。特に、重要な一〇一六面の障壁画が美術工芸品として別途、重要文化財の指定を受けているが、制作されてから四〇〇年の時間を経ているため、紙の劣化、顔料(がんりょう)の剝落、建具の損傷など多くの問題を抱えているのが現状である。その修理は二条城の保存における大事な事業であり、京都市が設置した元離宮二条城保存整備委員会の指導の下、継続的に進められている。ちなみに、私は現在、本委員会委員とともに障壁画部会長を務めている。

二条城障壁画の修理は一般社団法人国宝修理装潢師連盟が担当しており、修理を終えた障壁画を保存・公開する施設として、築城四〇〇年を記念して二〇〇五(平成一七)年に展示収蔵館が開設された。この収蔵庫では、障壁画は御殿と同じ配置で、移動可能なパネル内に収納されており、これらのパネルを、通常年四回、御殿の部屋ごと、あるいはテーマごとに選び、ガラス張りの展示エリアに移動して一般に公開している。また、エントランスホールでは、来城者に二条城の魅力を再発見してもらうことを目的に、錺金具や、城内から発掘された埋蔵文化財なども展示している。

保存のためにオリジナルの障壁画を収蔵庫に移して保管する措置は必要ではあるが、問題は、障壁画がなくなった建物の内部が、柱だけの空虚な空間となり、江戸初期の文化を伝える二の丸御殿の壮麗さは失われてしまうことである。そこで、障壁画の模写を作成し、オリジナルと嵌め替えていくという事業が、修理と同様、障壁画部会の下、二条城二の丸御殿障壁画模写プロジェクトとして継続的に進められている。この事業自体は、一九七二(昭和四七)年に立ち上がった。

従来の模写には、オリジナル絵画の情報をすべて絵で写し取る「現状模写」という手法がとられた。絵以外の障壁画のシミや汚れまたは板に描かれているものは木目も寸分たがわず丹念に写し取る作業であり、二条城障壁画の模写も事業当初は従来通りの現状模写が行われたが、膨大な障壁画の模写には、膨大な時間が必要であり、金箔の損傷状況をどのように写し取るかという難題もあったと、模写を担当してきた川面美術研究所の荒木かおり氏は述懐する。

また、復元模写にはオリジナルな障壁画と同素材、同技法を用いる事が重要であるが、模写障壁画が創建時の鮮やかな色調を呈すると御殿の雰囲気を乱す可能性があるため、当時の監督者であった美術史家土居次義氏の提案により、表現方法は復元するが、色調は御殿内の四〇〇年の時代色に合わせる「古色復元模写」という方針が打ち出された。現存する二の丸御殿障壁画は狩野探幽、尚信（なおのぶ）、甚之丞（じんのじょう）などの狩野派によるが、四〇〇年の時間経過の中で、度重なる修理、補筆が施されてきている。復元模写の際にはできる限り当初の姿に戻すという事を心がけるが、補筆、補紙の見極めが重要であり、それを削除した時にオリジナルにどのように近づけた復元ができるかという難しい作業は、その後の監修者、武田恒夫大阪大学名誉教授にも引き継がれ、模写担当者と協議する中で進められてきた。

模写に用いる素材は同質、同素材を基本とし、顔料は当時と同種の天然群青、緑青をはじめとする天然岩絵の具が中心である。色調は引き手を外した跡などに残されている当時のオリジナルの色調をよりどころに調整をし、金箔は当時の大きさの三寸箔に特別に打ったものを使用するなど、墨や紙もできるだけ当時の使われたものに近いものを使用している。質の高い修理や模写などの作業を行うには、制作当時の古典技法を追究する必要があり、当時使われた素材でないと表現できないことも多い。従って、伝承されてきた作業そのものの習熟も大事であるが、伝統的な材料と筆や刷毛などの道具の確保もたいへん重要になってくるのである。

二条城障壁画の修理と模写は、現在でも継続中である。模写に関しては、二〇二二(令和四)年度末時点で、一〇〇〇点を越える対象面数に対して八割程度が終了しており、また、嵌め替え計画の七割近くがすでに完了しているが、修理作業ともどもまだまだ続く、先の長い壮大な事業なのである。

日本全国から京都に訪れる観光客とともにインバウンドで多くの外国人観光客も訪れる世界遺産二条城の威風堂々たる姿は、建物本体の維持管理だけではなく、絶え間なく続いている障壁画の修理と模写によっても支えられているのである。

「文化財ソムリエ」の活躍

京都東山に位置する建仁寺（けんにんじ）は、一二〇二（建仁二）年に栄西（えいさい）によって建立された京都で一番古い禅寺である。その後、室町時代、江戸時代を通じて京都五山の一つとして栄えた。明治に入り、廃仏毀釈の影響もあり寺域は縮小されるが、臨済宗建仁寺派の大本山として今に至っている。

この建仁寺は寺宝として多くの文化財を有するが、その中で際立った存在は、なんと言っても俵屋宗達作の国宝「風神雷神図屏風」である。琳派の魁の一人である謎多き絵師の晩年の傑作である。金箔地の空間に躍動する風神・雷神の姿は、その後の絵師にも大きな影響を与え、尾形光琳、さらに酒井抱一も、これを模写した作品を制作していることでも有名である。オリジナル作品は建仁寺の所蔵であるが、京都国立博物館に寄託されているため、特別な機会でないと拝見することができない。

しかし、最近では建仁寺の本坊でその姿をいつでも見ることができるのだからこんなありがたいことはない。さらに、写真を撮ることも可能なのである。建仁寺で公開されている国宝「風神雷神図屏風」は、実は二〇一一（平成二三）年に建仁寺へ奉納された高精細複製なのである。これは、ＮＰＯ法人京都文化協会（以下「京都文化協会」）とキヤノン株式会社が共同で取り組む

「文化財未来継承プロジェクト」(通称・綴(つづり)プロジェクト)の一環として制作された。

高性能カメラによる撮影で得た高解像度データを駆使した最新デジタルイメージング技術を京都伝統工芸の匠の技と融合させることにより、本物の金箔による金地に墨の濃淡で表現される黒雲や、顔料の粒子、細線などの細部に至るまでもの忠実な再現を可能にした。高精細複製の展示は、インバウンドで来日する海外からの観光客はもちろん多くの日本人にとっても国宝のすばらしさを間近で鑑賞することができると好評である。

建仁寺における国宝「風神雷神図屛風」の高精細複製の展示は、文化財の観光資源としての活用の一翼を複製が担っている代表的事例であろう。オリジナル文化財は、より良い環境で保存する一方、高精細複製を通して多くの人々に日本の文化財に触れる機会を創出していく必要があるのではなかろうか。

この国宝「風神雷神図屛風」の高精細複製は、教育の分野でも大活躍している。京都国立博物館では、二〇〇九(平成二一)年から京都市内の小中学校を訪問し、「文化財に親しむ授業」を行っている。この事業は、京都文化協会と共同で、京都市教育委員会の協力のもとに行うもので、授業にあたって、小中学校の教室に実際に持ち込まれるのが、高精細複製の国宝「風神雷神図屛風」なのである。

図Ⅳ-6 「文化財ソムリエ」訪問授業の様子(2013年，京都市立美豆小学校．出典：文化庁ホームページ　https://www.bunka.go.jp/prmagazine/rensai/museum/museum_039.html)

訪問授業「文化財に親しむ授業」の講師を務めるのが「文化財ソムリエ」の愛称を冠した大学生、大学院生である。「文化財ソムリエ」は毎年公募し、スクーリングによって作品についてのレクチャーを受け、授業に臨む。子どもたちの自発的な興味や関心を引き出すことを目標に、単に知識の供与だけではなく、子どもたちとの対話を重視することをめざしている。原寸大の高精細複製の屏風は立体的に折った形で展示できるので、教科書や美術全集に載る平面的な小さな写真ではわからない臨場感のある屏風の姿を味わうことができることも大きな特徴である(図Ⅳ-6)。

「文化財に親しむ授業」は、子どもたちが文化財と初めて出会う場として大きな役割をはたしているといえよう。また、授業で作品の魅力を人に伝える難しさと楽しさを経験した文化財ソムリエの中には、博物館や教育関係に就職する人も多く、文化財の大切さを未来に伝える次世代として期待を寄せられている。

オリジナルな姿を求めて

文化財の価値論を論じる際に、文化財は、制作当初のオリジナルな情報と使われてきた経時的な情報の両面を秘めており、その双方を維持することが大事であり、修理という行為においても、双方の情報を攪乱してはいけないとも述べてきた。

また、文化財の複製を制作する時も、今の姿を精確に伝えることを第一の目標に掲げることが多い。しかし、経年的な変化や災害や人為的な破壊行為などによる損傷を排除し、元のオリジナルな姿を復元的に達成した複製を制作することも文化財の理解を深めるためには時として必要になる。東京藝術大学のプロジェクトとして宮廻（みやさこ）正明名誉教授が中心となり取り組む「クローン文化財」と謳った事業は、これに相当する事例の一つとしてよいだろう。

彼らが伝統的に育んできた模写技術に加えて、最新のデジタル撮影技術や二次元、三次元の印刷技術を融合させることによって、文化財を高精度・同質感での再現をめざした新しい技術によって制作した模写作品は、物理的に高精度かつ同素材・同質感をめざすだけではなく、制作技法、素材、文化的背景など、「芸術のＤＮＡ」に至るまでも復元するとして、「クローン文化財」と名付けられている。同材、同手法での復元を目標とするとはいえ、各工程にさまざまざるを得ないが、その力点を、流出・破損・消失などによって今では喪失してしまった美術作品の復元に置いていることには注目してよい。

特に、長く続く戦火によって貴重な文化遺産が次々に破壊され、略奪されてきたアフガニスタンの中央部に位置するバーミヤンの東西二つの大仏は二〇〇一年三月に無残に爆破されてしまったが、完全に破壊されて復元は不可能と考えられた東大仏天井壁画の姿を蘇らせたことはその成果の一端として挙げられる。

絵画作品などを模写するにあたって、古い時代においては、オリジナルと同様の素材を用いるということまでのこだわりはなかったと思われるが、科学的な調査方法が発達してきた現代において、文化財の復元に際して、制作当初のオリジナルな姿を求めるのは当然のことであろう。戦前の法隆寺の壁画の模写に際してもオリジナルに使われていた顔料を分析するなど、使用する材料に対してもできるだけオリジナルな素材を用いて現状の姿の復元をめざしていたのである。その後、先にも紹介した「二条城障壁画」の模写事業では、同様にオリジナルの素材と技法を用いるが、制作当初の姿は追求するものの、経年経過によって醸し出される質感を大事にする復元をめざしている。また、名古屋城障壁画などの模写に際しても、顔料などの科学的調査の成果を取り入れて、「同素材・同技法」の実現をめざした復元模写という理念のもとに行われている。現在ではこれが模写にあたっての基本姿勢となってきている。

復元において、どの段階の姿を最終到達点とするかは十分検討しなければならない。現在のありのままの姿とは別に、オリジナルな姿を求めることは目標の一つにはなるが、オリジナルへの完全な回帰はなかなか難しいと言わざるを得ない。復元の目的との兼ね合いの中で、最終到達点を決めなくてはならないが、いずれにおいても、人為的な判断を完全に払拭することはできないのである。

三　追体験がひらく新たな文化の地平

正倉院宝物の「復元模造」

日本の文化財を考える上で、正倉院宝物は欠かすことができないだろう。ただし、正倉院宝物は、行政上は「文化財」という枠組みに入らないことはすでに述べた。正倉院宝物は、宮内庁の管理の下、その保存・運用が計られ、皇宮警察に守られた国宝中の国宝とでもいうべき特別な存在である。

七五六(天平勝宝八)年、聖武天皇の死を悼んだ光明皇后が聖武天皇の遺愛品など六百数十点、薬物六〇種を東大寺大仏に献納したことが正倉院宝物成立の端緒となった。木工品、漆工品、金工品、染織品、典籍・文書、薬物など多岐にわたり、そのほとんどが奈良時代のものである。これら宝物に対して、名称、寸法や重さ、材質と技法、さらにはその由緒が記された目録として、奈良時代当時に作成された「東大寺献物帳」が現存しており、記載された宝物と現存している宝物が照合できるというから驚くほかない。八世紀の制作物が、一二〇〇年を越えて正倉院という一つの建物の中で、当時の姿をとどめた状態でしっかり保存され、伝世されてきたことは世界的に見ても稀有なことなのである。

江戸時代には宝庫の修理と宝物の点検、修理等、宝物の保存への関心の高まりをみたが、明治維新後の廃仏毀釈の渦中、一八七一(明治四)年に太政官布告「古器旧物保存方」が発せられ、翌年の一八七二(明治五)年に行われた壬申検査によって、正倉院や法隆寺の宝物調査が行われ、その実態が明らかになった。調査に加わった帝国博物館初代館長町田久成らは、正倉院宝物の複製制作を試み、その後も調査とともに複製の制作を進めた。制作された複製品は、一八七五(明治八)年に開催された奈良博覧会をはじめ、一八七八(明治一一)年の第三回パリ万国博覧会にも展示された。この頃の国を挙げての殖産興業の機運の中、伝統産業の振興をめざす目的もあったと考えられる。

その後、明治時代には、宝物の修理に伴って、帝室技芸員など当時の名工たちによる複製の制作は昭和の初期まで続けられ、多くの秀品が残されている。帝室博物館の事業として一九二八(昭和三)年から改めて始まった複製事業が、一九二三(大正一二)年に発生した関東大震災を踏まえて、災害による現物の被災損傷に対する危機管理の一環として位置づけられたことは複製の役割を明確にした早い事例としてよいだろう。

第二次世界大戦により事業が中断したが、この時の複製制作の方針と意義は、一九七二(昭和四七)年に始められた新たな「復元模造」制作事業にも受け継がれていると、西川明彦前正倉院事務所長は強調する。そして、「復元模造」というのは、昭和初期の頃とは大きく違って、宝物に対して実施した科学的な調査の成果などを用いて総合的に復元作業に当たることを意味する。X線透過撮影により宝物の内部構造を、赤外線を用いて消えかけて見えにくくなった墨線を探るなど、さらには蛍光X線分析によって材料の材質を特定し、形の再現にだけとどまらず、原物の材料・構造・技法に至るまで限りなく「ほんもの」に近い再現をめざしているわけである。

正倉院宝物の復元は美術工芸品にとどまらず、文書資料に対しても高精細の複製品は、作品そのものの研究においても大きな貢献をしている。例えば、全八〇〇巻に及ぶ「正倉院文書」は、奈良時代の戸籍など当時の社会を知る貴重な史料であるが、正倉院が宮内庁の管轄で、勅封の収蔵庫で管理されているため、研究者でも年一回、秋の曝涼の時期に奈良国立博物館にて開催される「正倉院展」でその一部を見ることしかできない。その内容を知るためには、「大日本古文書」のモノクロ写真しか手立てがなく、実際の文書にある当時の人たちが朱や緑青を使って加筆した書き込みの微妙な色味の違いなどの細かい情報を得ることは難しかった。

しかし、宮内庁の許可のもと、国立歴史民俗博物館が、一九八二(昭和五七)年から始めたコロタイプ印刷による複製作業によって、改めて古代史研究の重要な史料として位置づけることができるようになった。これも複製がもたらした恩恵である。宮内庁書陵部には、代々の皇室に伝わってきた三九万点にも及ぶ貴重な古典籍や古文書類が所蔵されている。一九三一(昭和六)年、当時の宮内省図書寮は、これらの資料に対して、コロタイプ複製の事業を始めた。文化財複製の先駆的事例としてよかろう。この事業は、太平洋戦争による三年間の中断(一九四二(昭和一七)〜一九四四(昭和一九)年)はあるものの、現在でも宮内庁書陵部によって引き継がれ、制作された複製は、国内外の大学や研究機関に寄贈され、日本史や書誌学の研究資料として活用されている。

学生が挑戦する「正倉院宝物復元プロジェクト」

文化財教育の中で、学生が実際に手ワザを駆使して、ものつくりを体験することはたいへん重要である。二〇一五(平成二七)年、私は京都美術工芸大学の文化財専攻の学生たちと「正倉院宝物」を復元するプロジェクトを立ち上げることになった。本家本元の正倉院では明治時代の早い時期から宝物の複製制作は行われてきており、さらに一九七二(昭和四七)年からは正倉院事務所が新たに「復元模造」制作事業を展開している。しかもその制作には人間国宝をはじめとする現代の名工たちがあたるという本格的な事業である。それに比べて、ようやく道具の使い方を学んだ程度の学生たちがどこまでできるのか、まったくの未知数ではあったが、学生の教育の一環として取り組むのならよろしかろう、という正倉院事務所の温かいお言葉に励まされて大胆にも踏み出したプロジェクトであった。

当初は、その年の「正倉院展」に展示される作品にトライしようということになったが、出品作品は七月にならないと発表されないため、とにかく最初に選んだ作品は、「檳榔木画箱(びんろうもくがのはこ)」である(図Ⅳ-7)。学生たちはもちろん実際にほんものを拝見できるわけではなく、基本的には正倉院事務所が調査し、紀要などの報告書に公開されたデータだけを頼りに、自分たちで図面を起こすことから始めた。木工作家の宮本貞治教授らの指導の下、できるだけオリジナルに近い材料を調達し、試行錯誤のもと制作に臨んだ。床脚の付いた方形印籠蓋造りの木箱に色味の異なる木材片を幾何学文様に組み上げて貼りつけるのだが、実際に作業にかかると、幾何学文の木片は一見すべてが同じ大きさに思えるが、天板と側面とで微妙に形状が異なるなど、なかなか一筋縄ではいかない。しかも、蓋の部分と身の部分は、木画を貼ってから切り離す太鼓造りの方法であることもわかってくるなど、古代工人の「ものつくり」の技を実際に追体験する貴重な実践の場となった。仕上がりは、少々モダンな感じもするがそれなりの達成感のある出来栄えであった。

翌年は、さらに大きなチャレンジをすることになった。伎楽面「酔胡王」と「酔胡従」の復元である。「酔胡王」(図Ⅳ-8)は木彫、「酔胡従」は乾漆造りと技法が異なるものを同時進行で制作するという大胆な計画である。「酔胡王」は、仏像修理の小林泰弘教授の

図Ⅳ-7　学生が復元した「檳榔木画箱」(2015年制作，京都美術工芸大学所蔵．著者提供)

指導の下、実際に桐の丸太から切り出すところから始めて、チョウナやヤリガンナなど、古代に用いられた道具を使うなど、徹底して古代工人のものつくりにこだわって作業を行った。また、「酔胡従」も芯材の土作りから始めて、麻布を固める漆の配合もテストを繰り返し、最適な条件を探りながら作業を進めた。接着に用いる膠は鹿皮を煮て作り、漆も産出の少ない丹波産を分けてもらって部分的に使うなど、古代工人が使った道具と材料に徹底してこだわることにした。

こうして完成した「檳榔木画箱」、そして「酔胡王」と「酔胡従」の伎楽面は、二〇一七(平成二九)年に開催された大伴家持生誕一三〇〇年記念・特別展「家持の時代展」(高岡市美術館)において、展示会場の「家持が触れた白鳳文化のコーナー」の一角を飾ってくれた。

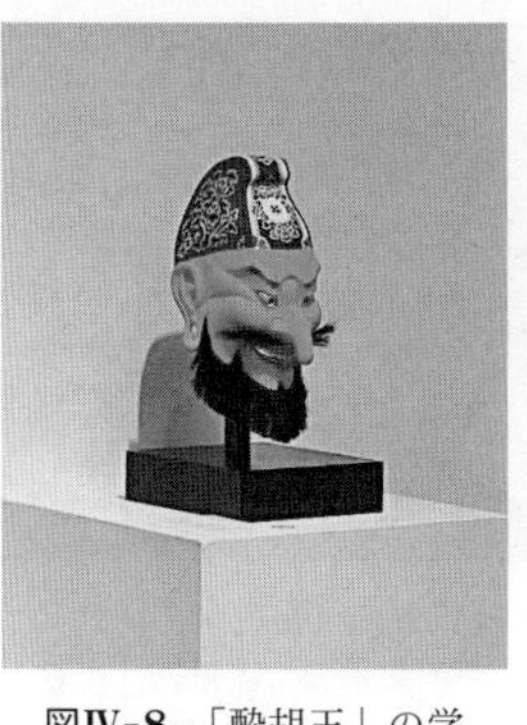
図Ⅳ-8 「酔胡王」の学生制作の複製(2016年制作，京都美術工芸大学所蔵．著者提供)

その後これも縁あって、奈良国立博物館開催の第六九回「正倉院展」(二〇一七年)に合わせて、本館の地下において学生たちの復元した「正倉院宝物」を並べる機会を持つことができた(図Ⅳ-9)。その後も毎年一~二点のペースで増えており、完成した作

図Ⅳ-9　「正倉院宝物復元プロジェクト」の成果展示（第69回「正倉院展」，2017年，奈良国立博物館本館地下スペース．著者提供）

品は現在一二点にのぼる。

現代のわれわれが何かを作ろうとする時、ホームセンターに行けば、道具と材料はほとんど揃う。そんな現代の学生が、古代の効率の悪い道具を使い、材料も自分たちで手作りすることから始めて、試行錯誤しながらものつくりをすることは、古代工人の技の追体験として意味を持つことであると考える。必要とするものが簡単に手に入り、マニュアル通りに運べば、何でもすぐに出来上がる即席性とは程遠い体験によって蘇るのが正倉院宝物なのだから、学生たちの達成感は一入（ひとしお）であろう。

教育実践としての文化財複製

地域の文化財保護の一環として、文化財の複製を活用しようとする和歌山県立博物館の取り組みは、少子高齢化に伴う過疎化に直面する現代の日本、特に地方の抱えるさまざまな問題に対する取り組みの一つとしてたいへん意義がある。

和歌山県立博物館が地元の和歌山県立和歌山工業高等学校の生徒と授業の一環として文化財の複製制作を始めた当初の目的は、「触れる文化財」を作ることにあったと大河内智之元主任学芸員(現・奈良大学准教授)は紹介する。博物館は基本的に、展示作品を目で「見る」ことによって情報を得るのであるが、視覚障害のある方々には「見る」という行為そのものが不可能であるため、博物館そのものがバリアな存在である。その対応策の一つとして、手で触れることができる文化財の複製を高校生たちと制作することが始まりであった。

博物館所蔵の仏像を学校の教室に持ち込み、産業デザイン科の生徒たちが、3Dスキャナで形状を読み取る作業を行い、立体データに仕上げ、それを基に3Dプリンタによって樹脂製の立体物としての仏像を造形する。そして、この樹脂製の仏像に彩色をするのが、和歌山大学教育学部の美術教育専攻の学生によるミュージアムボランティアである。アクリル絵の具によって実物同様に着色を施す。こうして仕上がった複製を博物館に見学に来る和歌山県立和歌山盲学校の生徒たちが直接手に触れて鑑賞する。地域の博物館を中心に、高校、大学が協力して制作した複製品を、視覚に障害のある生徒たちが直接鑑賞するという、いわゆる「ハンズオン教育」として見事な連携をみせる教育的事業としてもたいへん重要な取り組みである。

そして、この事業が、文化財保護として地域の仏像を守るための「お身代わり仏像」の制作に展開されていくことになる。

ここ近年、全国的に見て過疎化に伴い無住になった寺社から仏像や神像などが盗まれる事件が頻発している。狙われるのは、指定文化財のように有名なものだけではなく、その文化財的価値がまだ知られることもなく、静かな集落の中でひっそりと地元の方々の心のよりどころとして守り伝えられてきた仏像などである。和歌山県下では、二〇一〇(平成二二)年春頃から約一年の間に少なくとも六〇ヵ所の寺などから、仏像一七二体の盗難事件が発生したというから驚きである。しかも、近年でも和歌山県北部を中心に一〇ヵ所で六〇体以上の仏像が盗難に遭っている。このように換金目当てで盗まれた仏像は、古物商に流れるものもあるが、最近ではネット販売のオークションにも登場することも多いという。

こういう事態を事前に防ぐ試みとして、実際に被害に遭う可能性のある地域や、住人たちが仏像を守ること自体が難しくなっている地域にあるほんものの仏像は博物館で管理し、その代わりに複製の「お身代わり仏像」を安置することにしたわけである。

ここで重要なことは、仏像を安置するにあたって、複製を制作した高校生、大学生が実際に現地を訪れて、現地の人たちともコミュニケーションを図り、奉納をしていることである。時には、その制作作業も見てもらい、現地の方々とその意義を共有することが、3Dプリンタで複製を制作し、絵の具で彩色した単なる複製とは違う「お身代わり」としての存在価値を生み出すことになるのである。

過疎化に瀕する地域において、昔からいつでもそばにあるのが当たり前である文化財がしっかり地域に根ざしている安心感を担保する意味でも「お身代わり仏像」の存在感は大きいのではなかろうか。これまでに、一五ヵ所二九体の「お身代わり仏像」が奉納されたという。制作した生徒、学生たちにとってもこの経験は、一生の思い出として心に残ることは間違いないだろう。文化財保護における複製の教育実践的活用例として貴重な取り組みといえよう。

「お身代わり」としての「平成の水煙」

薬師寺は、元は七世紀後半に藤原京に造営されたが、平城京への遷都に伴い、奈良の現在の地に遷された。当時は、金堂、東西両塔、大講堂からなる壮麗な姿を誇ったというが、その後、度重なる火災や地震などで金堂、西塔、大講堂は失われ、長い間、創建時の姿を唯一とどめるのは国宝の東塔のみであったが、昭和時代に伽藍の復興が始まり、現在ではその大半が再興し、当時の大伽藍が蘇っている。

二〇〇九(平成二一)年から、創建から一三〇〇年の年月を経て建つ東塔の本格的な解体修理

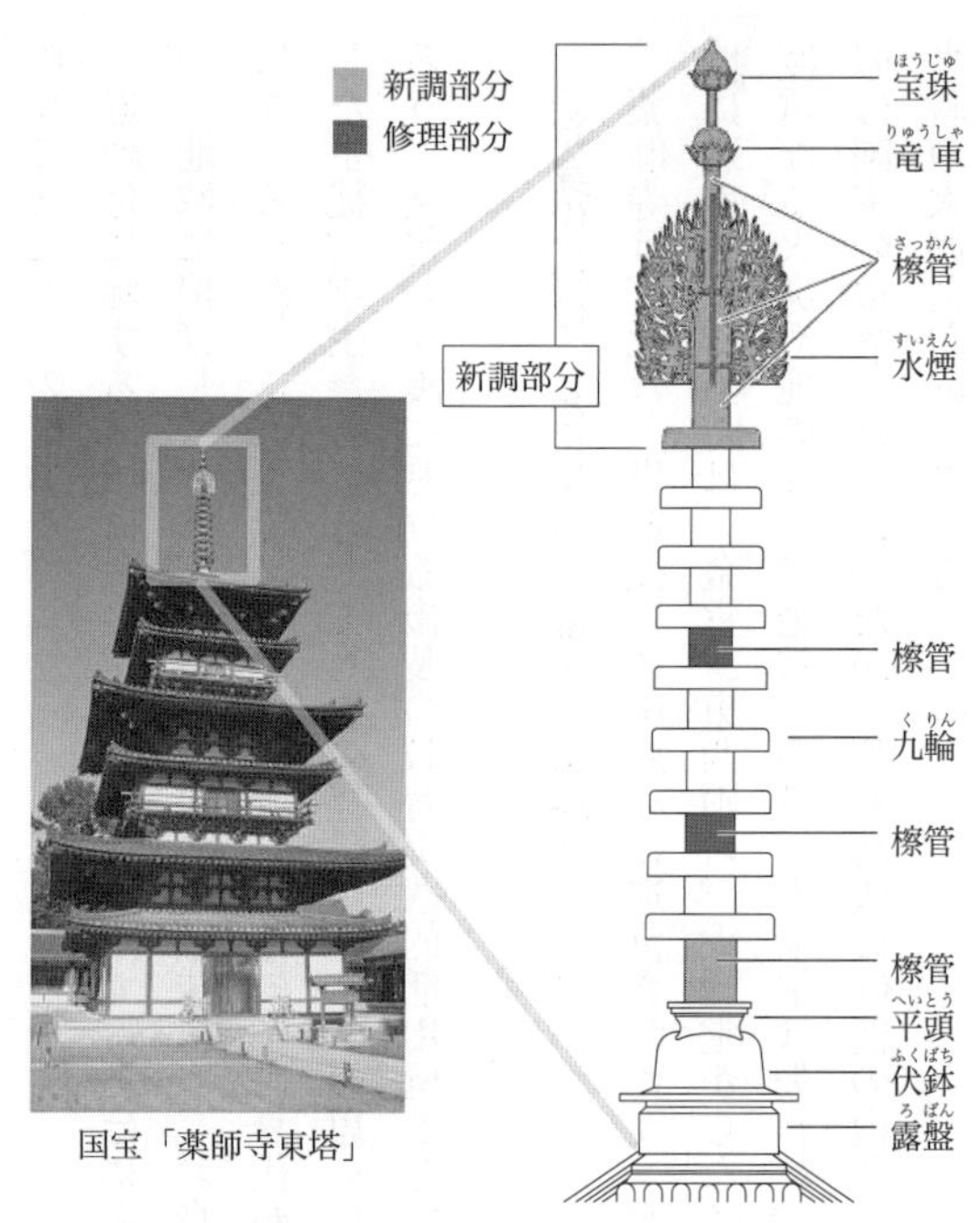

図Ⅳ-10　薬師寺東塔の相輪の新調部分と修理部分(出典：加藤朝胤他『よみがえる白鳳の美 国宝薬師寺東塔解体大修理全記録』朝日新聞出版，2021年，127頁を一部改変)

が始まり、その姿は二〇一一(平成二三)年には鉄骨の覆屋に覆われた。そして、二〇一二(平成二四)年から、私は国宝薬師寺東塔修理臨時委員会の一員として、塔の先端に位置する相輪部分の修理に関わることになった(図Ⅳ-10)。心柱の先端を飾る金属製の相輪は、この部分だけで高さは一〇メートルを越え、総重量は三トンにもなる。

その中でも、ひときわ

目を引くのが、透かし彫りの飛天が舞う姿で有名な水煙である。一三〇〇年の風雪に堪えた東西南北四枚の水煙をじっくりと眺めると、天空をめざして炎の如く沸き立つ透かし彫りの中に飛天が見事に融け込んでいる。一番上の飛天はすさまじい落下速度で天から一直線に地上に舞い降りてきて、二番目の飛天は地上間際でくるりと身をひるがえして着地の体勢をとろうとする一瞬であり、下の飛天に至っては何事もなかったように地上でゆったりと音楽を奏でる楽人と化している。勢いよく炎の如く上方へ舞い上がるベクトルと飛天の垂直に落下するベクトルが見事にバランスし、まるで無重力のカプセルを見るようだ。

この水煙を含め銅製の相輪各部材を解体修理後に元の位置に戻すかどうかを巡って大きな議論となった。国宝をはじめ、文化財を維持するためには定期的な修理が必要であるが、修理後は元の姿に戻すのが原則である。いわゆる現状維持修理であり、制作から一三〇〇年を経ている水煙も心柱の先端に戻す必要がある。しかし、そもそも水煙自体がその任に耐えられるのかどうかを確認するには、今の状態を精確に知る必要があるため、さまざまな調査を行うことになった。実際の調査には、奈良県の文化財保存課・文化財保存事務所を中心に、奈良文化財研究所、奈良県立橿原考古学研究所、元興寺文化財研究所など、多くの方々の協力を仰いだ。

まず、内部の状態を探るため、X線透過撮影を行った。その結果、四枚の水煙いずれも表面のサビの下にはいつの時代に生じたのかは定かでないが割れなどの損傷を補修した痕跡が随所に認められた。健全そうに見えてもやはり内部はダメージを受けている。建造物の構造解析からも水煙には風などによる揺れの影響などでかなりの負荷が常にかかることもわかった。次にレーザによる三次元デジタル計測を実施し、形状を精確に把握することにした

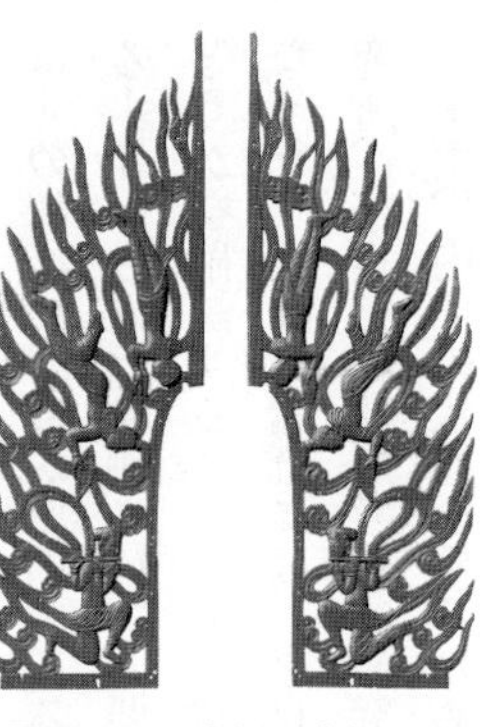

図Ⅳ-11 東側の水煙3D計測図(左：北面，右：南面．著者提供)．北面と南面が表裏になる

（図Ⅳ-11)。そして、これらの調査の成果を総合的に検討した結果、相輪を構成する三〇個の部材の中で、水煙などダメージの大きい九個の部材を新調復元するとともに、二個の擦管を修理することになった。また、新調復元するにあたっては、新調部分が古くからの部材と混在した時に違和感を持たないように、精確な材質分析も実施した。

これだけの準備のもと、新調復元と修理に際して、次の四つの条件を課すことになった。

①材質は、分析で得た古代のレシピに従う

②鋳造鋳型の原型は、３Ｄデジタル計測のデータを用いてオリジナルと同形同大で制作

する
③色は、ペインティングではなく、自然発色により、できるだけ忠実に再現する
④修理を行う部材は、現状を変えることなく、補強を図る

この四つの条件に挑戦したのが、富山県の伝統工芸高岡銅器振興協同組合であった。全国有数の「銅器のまち」、高岡のものつくりの技術を結集しての取り組みとなった。

高さが二メートルに近い水煙は、全体に複雑な文様の透かし彫りであり、飛天の肉身の部分などは五センチ近くの厚みがあるが、水煙の先の厚さは一センチにも満たない。このように極端な肉厚差がある鋳物は、いつもの使い慣れた材料で鋳造するとしてもなかなか難しい。また、熔けた金属は鋳型の中で冷えて固まる時に収縮する。使い慣れた材料なら熔ける温度も収縮率もわかっているが、古代の材料に対しては現代の鋳造のプロにとっても未知の世界である。しかも、鋳型は最新の3Dデジタル計測のデータに基づいて制作する。これも最新技術の挑戦である。

現状の形に忠実な鋳型を作るためには、3Dデジタル計測はたいへん有効な手段であるが、3Dデジタル計測のデータにはこれまでの損傷個所や補修個所もそのまま反映されているため、

制作当初のオリジナルの姿をめざして、データ修正を加えることになった。実はこの作業が一見簡単そうでかなり高度な判断が必要となる。この作業は、保存委員の一人でもある北郷悟東京藝術大学教授（当時）と私が監修し、データ修正には3Dデータ解析に長けた造形作家井田大介氏が当たることになった。データ修正は、明らかに後の時代、明治や昭和の補修部分に対する修正や不必要に開けられた穴を埋める程度にとどめ、水煙全体に漲る白鳳時代の工人たちが醸し出す雰囲気を尊重し、制作当初のオリジナルな状態を忠実に達成することを心がけた。

この一連の作業の中で、一見したところ左右対称の同形と見える東西南北四枚の表裏の文様にはそれぞれの面で微妙に違いがあることを改めて確認した。水煙には計二四人の飛天が配されているが、その姿はすべて微妙に異なり、水煙表現の文様の細部にもこれまでに気づかなかったそれぞれの個性を見つけることができた。これが、古代工人のおおらかな造形の醍醐味とでも言えようか。造形の妙もさることながら、水煙だけでも一枚約一〇〇キログラムもある。このような重量物を三〇メートル以上もの高所に据えた彼らの技術にも改めて驚嘆するばかりである。

実際に新たに鋳造された水煙は、少し赤みを帯びた銅桃色に輝く見事な鋳上がりを呈した。四枚それぞれの形状、そして大きさも忠実に仕上がった。これだけでも大きな成果であるが、これが今回のプロジェクトの最終到達点ではない。一三〇〇年の時を経た緑青サビに覆われた現在の姿を再現する必要があった。絵の具などの色材を用いたペインティングで色を付ける彩色法では、東塔の先端で風雨に晒されるなかでたちまち絵の具が流れ落ちてしまう。ここで、威力を発揮したのが、銅器に対して薬剤による自然な腐食を促す伝統的な発色技術であった。

図Ⅳ-12　新旧水煙特別公開記念特別講演会における著者(左が複製，2019年2月8日，著者提供)

こうして、二〇一九(平成三一)年二月には、無事に復元新調された「平成の水煙」を含む薬師寺東塔相輪は完成し、心柱の先端を再び飾る準備が整った(図Ⅳ-12)。そして、最終的にこれらの相輪金具が塔の先端に据えられて、国宝薬師寺東塔の解体修理作業がすべて完了した。二〇二〇(令和二)年春には落慶法要が盛大に催される予定であったが、突然浮上したコロナ禍のために止むなく延期となり、三年後の二〇二三(令和五)年四月にようやく執り行われたのである。

国宝薬師寺東塔の解体修理に際し、ほんものの「お身代わり」として塔の先端を飾ることになった水煙を含む相輪の一部の複製制作は、文化財の活用という観点からみても、一つのモデルケースになるのではなかろうか。単に形を作り上げ、表面の色を彩色によって復元するのではなく、制作当初の材質によってもたらされる質感を重んじ、そして一三〇〇年を経た現在の風合いを自然に引き出すことを実現できた。東塔の先端で「お身代わり」としての役割をはたしている「平成の水煙」は、私がいう「時代の質感」を大事にした復元が達成された姿といえるのではなかろうか。

三次元デジタルデータで蘇る青銅鏡

私は、古代から現代に至って制作されてきた金属製の制作物、いわゆる金工品を中心にその制作に用いた材料と技術の変遷を研究している。金製のものは基本的に錆びないが、他の金属でできた金工品は、時間の経過の中でほとんどのものが腐食によって生じたサビに覆われ、オリジナルの色を失っていると言って過言でない。すなわち、われわれは古代人が楽しんだかもしれない金属製品が放つカラフルな色彩の世界を直接味わうことができないのである。このように本来の姿をサビのベールで包まれてしまった古代金工品のオリジナルな状態をさまざまな調査を通して想定し、そのデータに基づいた姿に復元した複製を制作する試みは、時間の経過によって失われた色の世界とその機能性をも復元した世界の構築を可能にする。ここでの複製の役割は、きわめて研究的要素が大きいといえよう。

歴史の教科書に登場する古代の青銅鏡の復元を事例に、この問題を考えてみたい。古代青銅鏡は、今ではすっかり錆びてしまい、緑色のサビに覆われた姿をしているのが通例である。博物館などに陳列されている古代青銅鏡をみても、お世辞にもきれいとはいえない錆びた円盤としか見えないだろう。

「これが鏡なの？ どこに顔が映るの？」と誰しも一度は疑問に思ったことがあるのではなかろうか。教科書に載っている青銅鏡の写真や博物館の陳列で見学者がみる古代青銅鏡の姿は、実は鏡の裏側なのである。考古学や歴史学では、この裏側（鏡背という）に浮き彫りにされた複雑な図像や文字が重要であり、この解釈を巡る研究が先鋭化している。中でも愛知県犬山市の東之宮古墳から出土した「三角縁神獣鏡」の注目度は特に高い（図Ⅳ-13）。その背景には、この銅鏡が中国の史書『魏志』倭人伝に記載されている魏の皇帝が邪馬台国の女王卑弥呼に授けた銅鏡一〇〇枚に譬えられ、一般的に「卑弥呼の鏡」と呼ばれることがあることが挙げられる。

これまでの三角縁神獣鏡研究は、どこで誰が、いつ何のために作ったのかという、すなわち制作地と制作集団、また制作年代などの論議とともに、この鏡を副葬品として持っていた古墳の分布による当時の権力者の勢力範囲などがテーマの中心であった。そして、従来の研究の基

図Ⅳ-13　「三角縁神獣鏡」(愛知県犬山市東之宮古墳出土，重要文化財，京都国立博物館所蔵)

図Ⅳ-14　3Dプリンタで復元した「三角縁神獣鏡」(著者提供)

本は、鏡背に表現された神像や霊獣などが織りなす図像と紀年銘などの解釈や比較検討が主であり、鏡背に配された文様の研究は、従来から写真や拓本による二次元情報を基に論じられてきた。

私は、実際の鏡の表裏両面を三次元デジタル計測によって三次元立体としてデータ化し、オリジナルな色を持った鏡の複製の制作を試み、例えば「モノを映す」という鏡本来が持っている機能性も検証することにした。

三角縁神獣鏡の表裏にレーザ照射によるデジタル計測を行い、鏡の文様の細部に至るまで鮮明に蘇った三次元立体像を作成し、コンピュータ上で任意の方向からの観察や任意の断面の形状比較などを可能にした。そして、鏡の成分から想定されるオリジナルな色味をのせたバーチャルイメージを完成させた。

今回の三次元デジタル計測によって、鏡の断面形状をミクロン単位の精度で精確に捉えたことは大きな成果であった。鏡背中央の鈕(ちゅう)の厚みは三センチ近くもあり、神獣などの文様も肉厚にレリーフされる一方、周辺部の最も薄い部分は一ミリ程度と極めて薄い。そして、その名の通り三角形を呈する外周縁はかなりの厚みを持つことがわかる。中心の鈕から外周縁まで同心円的対称性を見事に維持し破綻がない。鏡面は中心から外周縁へカーブを持って緩やかにせり上がる凸面を成している。

表裏一体の三次元デジタル計測によって得られた制作当初の三角縁神獣鏡の姿は、改めて「このような極端な厚みの差がある文様が一面の鏡の中にどうして必要なのか」という疑問を誘発する。極端な厚みの差がある鋳物の鋳造は、現代の技術をもってしても簡単ではない。古代においてこのような高度な技術がどうやって達成され、何のために三角縁神獣鏡に応用されたのだろうか。

次に、デジタル計測で達成したバーチャルイメージから、三次元立体物として忠実に再現した金属製の復元品を制作した(図Ⅳ-14)。制作には、成分を調整した金属粉体を用いた3Dプリンタを用いた。金属粉体をレーザにより溶融・焼結し、それを積層して成形する金属粉末焼結

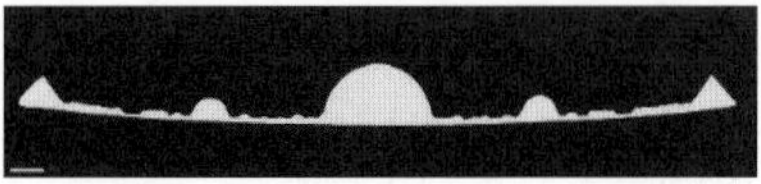

図Ⅳ-15　「三角縁神獣鏡」の断面（著者提供）

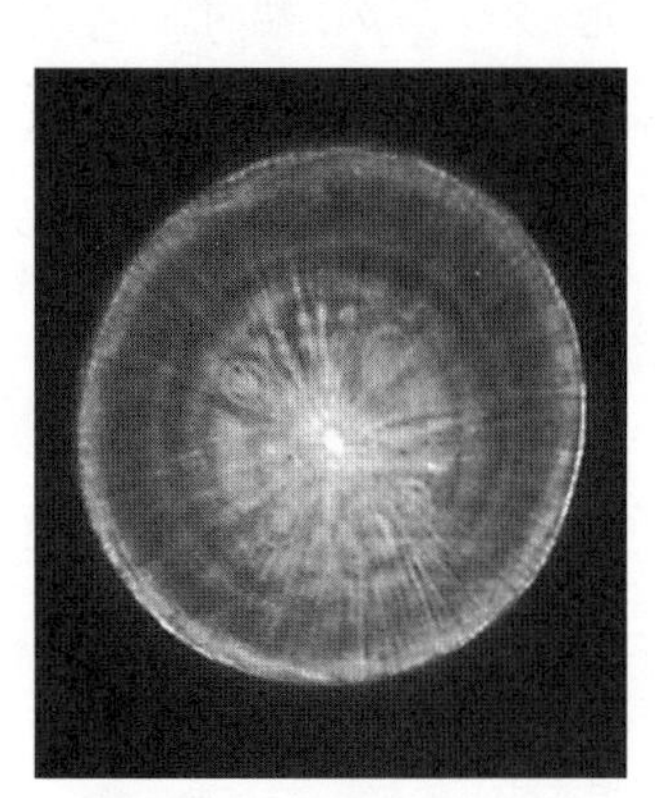

図Ⅳ-16　「魔鏡現象」によって得られた反射イメージ（著者提供）

積層造形法である。一般的な鋳造法は、熔けた合金を鋳込む鋳型が必要であり、合金が凝固する際に寸法が縮む現象が生じる。３Ｄプリンタは鋳型を必要としないため、三次元デジタル計測データに忠実な立体造形が期待できる。すなわち、形状や成分も含めて復元した鏡は、古代に制作された当初の姿に最も近いとみなしてよい。

実際に鋳込んだ直後の青銅鏡は、金色を帯びた銀灰色を呈する。３Ｄプリンタで制作した復元鏡も銀色に近い金色に輝き、念入りに研磨した鏡面は、実際に人の顔を映し出し、「モノを映す」という鏡本来の機能を備えていることを確認することができた。次に鏡面側を研磨工程で、最も薄い部分が一ミリ程度の厚さになるまで追い込んでいくのだが、ここで改めて鏡の断面形状（図Ⅳ-15）に認められる極端な肉厚差の持つ意味を考えてみると、鏡面が反射した投映像に鏡背面の文様が反映される、いわゆる「魔鏡現象」が生じることが想起された。

試みに、太陽光のもとに復元した三角縁神獣鏡の鏡面を翳(かざ)してみると、反射投影像に鏡背側の文様が浮かび上がった。すなわち、三角縁神獣鏡は、鏡背の文様を鏡面側で太陽光を反射投影する「魔鏡現象」を起こす特殊な鏡であることが実証されたのである(図Ⅳ-16)。

この現象は、鏡面の研磨作業によって部分的に生じる微妙な凹凸によって引き起こされる。肉厚の部分が研磨工程で微妙にへこんで凹面鏡の役割をすることになり、結果的に反射光が集光し、投映像が明るくなる。一方、薄い部分は逆に微妙に凸面鏡化し、反射光が散乱し暗くなる。すなわち、鏡背側で肉厚に盛り上がった鈕や神獣像部分の鏡面側が部分的に凹面鏡として光を集光し、明るく光ることになる。外縁を肉厚の三角形にしたのは、反射投影像の縁をリング状に明るく輝かすためであると考えると納得がいく。また、鏡面全体が凸面にカーブしているのは、反射投影像を大きく拡大するためである。このように、これまで謎であった三角縁神獣鏡の形体的特徴は、魔鏡現象との関係で理解できるのではなかろうか。

さらに大事なことは、魔鏡現象において、研磨した鏡面に生じた微妙な凹凸をはっきりとした濃淡を持った反射投映像として顕在化させるためには、平行光線としての太陽光が不可欠である。古代人は、太陽という偉大な存在を畏敬するとともに、太陽の威光を借りて自らの権威を表象する道具(威信財)の一つとしてこの鏡を使ったのではなかろうか。古代の三角縁神獣鏡の忠実な復元を通して、これまでほとんど注目されなかった断面形状の美しさとその形状がもたらす太陽光との競演である「魔鏡現象」を確認し、その鏡としての機能性に迫ることができた。考古遺物の鑑賞に新たな息吹を与える契機になればと考える。オリジナルな鏡の材質まで追究した複製によって初めて達成された研究成果と言ってよいだろう。

「複製」の役割と課題

複製の歴史は古く、もともとは「ものつくり」の制作者が先人の優品に学び、技術の伝承を目的とした模写・摸刻にそのルーツを求めることができる。近代には鑑賞教育的な要素が加わったが、文化財保護、さらには活用の観点から、「ほんもの」に代わるべき存在としての役割が期待されるようになってきており、本書でもその事例をいくつか紹介した。このような状況の中で、最近では複製の制作技術に大きな変化が生じてきている。すでにお気付きのことだろうが、複製制作そのものが人の手による作業から、デジタル技術を駆使した機械的な技術の導入に移りつつあるのである。

複製制作の基本は、オリジナル作品が持つ情報の「インプット」(入力)と「アウトプット」

（出力）の双方にある。古くは、「模写・摸刻」として、オリジナル作品が持つ情報を人が「摸する」、すなわち「うつす、まねる」ことが基本であり、イン・アウトの双方を一人の制作者、あるいはそのグループが担い、複製の完成度は彼らの持つ技量に委ねられていた。複製制作が、技術伝承者の修業の場として機能していた所以である。このことは、先にも紹介した学生と組んだ「正倉院宝物復元プロジェクト」において、グレードの高いオリジナルな作品と対峙し、先達の手ワザに少しでも近づこうとその痕跡を試行錯誤しながら懸命に追体験していく中で、大きな教育的効果が生み出されることを実践的に体験した。

複製制作が、近代化の波の中で、「模写・摸刻」の概念から離脱していくことと同時進行で、インプットとアウトプット双方の技術が独立して発展することになった。従って、インプットとアウトプットを担う者が同一人物である必要がなくなったわけである。このような状況に伴い、文化財複製の制作におけるインプットとアウトプットのバランスが問題として浮上するようになった。

例えば、高精度のインプットデータが得られたとしても、アウトプットの能力がついていかないと複製としての完成度は期待できない。平面作品の複製制作においては、近代以降に写真技術が導入されて以来、カメラなどさまざまな光学的技術が開発され、オリジナル作品の持つ情報のインプットのレベルは高精細化も含めてその能力は格段に進化した。また、アウトプットに関しても、例えば障壁画における金箔下地にも直接印刷可能な技術の開発など、彩色も含めて高精細で再現性の高い複製が制作されるようになってきた。

一方、仏像などの立体の文化財の複製制作におけるインプットは、従来の現物からの型取り作業に代わって、レーザビームを使った高精細のデジタル計測が主流となってきている。特に最近のデジタル計測における形状情報収集の技術力の高さは、私も古代青銅鏡の複製制作の折に十分に味わうことができた。人間の目では見えないレベルの高精細の凹凸情報はこれまでにわからなかった細部の状態を詳しく教えてくれる。そして、得られたデジタルデータはコンピュータ解析によって、ディスプレイ上の画像・映像として他の作品との比較検討も容易に行えるようになった。

それに引き換え、立体の複製のアウトプットに関しては、3Dプリンタの登場で大きく変わろうとしているが、まだまだ発展途上にあるといってよい。3Dプリンタを用いた立体作品の複製制作においては、出力精度の問題もあるが、最もネックになるのが素材の材質である。現在の3Dプリンタの成形素材の主流は樹脂である。オリジナルの文化財が、木製であれ、金属製であれ、石製であれ、デジタル計測データを基に3Dプリンタで出来上がった複製は樹脂製であり、形は機械的に精確に出来上がったとしても、表面の仕上げは顔料などを用いた手作業によることになる。すなわち、彩色などによる最終仕上げの手作業が複製の出来栄えに大きな影響を与えることになる。この場合、オリジナルの文化財の状況にできるだけ忠実に従うことが大事であり、アウトプットに関わる者の勝手な判断による付加価値を与えてはいけないのである。これは、ルールなき修理と同様に文化財の価値を破壊する行為に通じることになる。

また、金属製文化財の複製を、金属素材を用いて制作しても、複製としての最終段階で、表面を顔料による彩色で仕上げるなら、わざわざ本体を金属素材で制作する意味はあるのだろうか。古代青銅鏡を金属素材による複製を制作したのは、鏡としての光を反射する機能を再現するためであった。一方、薬師寺の国宝東塔の先端を飾る相輪金具の複製は、オリジナル組成の合金によって制作し、最終的には実際に自然のサビを発生させた状態で仕上げた。これは、塔の先端で雨ざらしの状態になるので、顔料で彩色したものでは雨に打たれて顔料が流れ落ちてしまうためである。複製となった水煙などの相輪の一部は、塔の先端で雨に打たれて自然なサビが徐々に進行して、オリジナルの部分と調和した質感を醸し出すことになり、一三〇〇年の時を経たほんものの「お身代わり」としての役目をはたしてくれる。このように、オリジナルな素材が持つ質感の復元も複製制作の大事な要素なのである。

複製制作は、文化財のある時点での姿を切り取る作業でもある。ほんものは少なからず経年劣化が進行していくが、複製は制作時点で時間が止まる。すなわち、現時点でのほんものの姿に忠実で精巧な複製は、経年変化をチェックする際の基準となる役割を担うと考えることもできる。その意味では、複製は制作時点での文化財の姿の「記憶」そのものでもあるわけである。複製としてどの時点での姿に仕上げるかは、複製に求める機能や役割によって変わってくる。文化財の複製制作の基本は、現時点での文化財の姿を忠実に倣うことであるが、制作当初のオリジナルな姿を再現的に復元することも可能であろう。しかし、以前にも触れたが、長い年月を経た文化財のオリジナルな姿を精確に再現できているのかどうかという判断はたいへん難しい。さまざまな観点からの科学的な調査を含めた検討も必要であり、根拠の希薄なオリジナル再現は文化財そのものの本質を見失うことにもつながるため、慎重を要する。このようにみてくると、複製制作にも修理同様、最低限の守るべきルールが必要になるのではなかろうか。

二〇二三(令和五)年四月に博物館法が改正された。博物館法は、もともと教育基本法↓社会教育法↓博物館法という体系の中にあるが、この基本は変わらずに、「文化芸術基本法の精神に基づくこと」という文言が加えられた。そして、掲げられた項目の一つに、「博物館資料のデジタル・アーカイブ化」の推進が謳われている。文化財の「活用」が強く求められる中、大量の資料の所在確認を進める上でも、デジタル・アーカイブ化は必須であろう。ただ、デジタルデータが単なる検索用の記録の蓄積ではなく、人々の記憶に残させる工夫が必要であるが、それにはやはりデータと実際の資料(ほんもの)との関係性をどう見せるかが大事である。そして、ほんものの保存・活用を推進するためにも、デジタル技術を使った複製の需要もさらに高まるだろう。

デジタル技術を用いた平面作品の複製制作の分野ですでに実績を重ねてきているのが、京都国立博物館における「文化財ソムリエ」でも紹介した「文化財未来継承プロジェクト」である。二〇〇七(平成一九)年の発足以来、すでに多くの絵画作品の高精細な複製を制作してきており、最近では、海外に渡ってしまって日本では直接見ることができない作品の複製も制作し、展示活用に貢献している。二〇一八(平成三〇)年からは、さらに広い観点からの取り組みを考える、文化庁、宮内庁、読売新聞社の官民連携による「紡ぐプロジェクト」も始動している。

二〇一八年に独立行政法人国立文化財機構に新しく誕生した「文化財活用センター」(ぶんかつ)では、主軸となる業務の一つに、文化財複製の活用を掲げて、同センターが管理する絵画作品を中心に、積極的に展示・イベントへの貸し出しを行うとともに、アウトリーチプログラムとして、教育の場での活用も視野に入れている。

大日本印刷株式会社や凸版印刷株式会社(現・TOPPANホールディングス株式会社)なども、独自に開発した印刷技術をいかして、国宝、重要文化財の障壁画や屛風などの絵画作品を中心に複製制作に取り組んでいる。

このように、文化財のデジタル技術による複製の分野は広がりをみせ、成果の公開展示も盛んになってきている。二〇一〇(平成二二)年に発足した一般財団法人「デジタル文化財創出機構」では、デジタル・アーカイブ化の意義の啓発を行い、複製制作を含めてデジタル技術の文化財分野におけるさまざまなニーズに対応した実践に取り組んでいる。

最新のデジタル技術を駆使した高精細な複製制作には、かかる経費がいまだ大きいこともあり、その対象は当面、国宝、重要文化財などの指定品が優先されるであろう。これから対象が広がることによって、文化財への理解が広がり、深まってゆくことに期待したい。

V

これからの日本文化のために

文化財保護の課題

古代から現代までの多様な文化が連綿と受け継がれ、そして巷に溢れている日本は、世界的に見ても珍しい国ではなかろうか。古来、島国日本には海外からさまざまな文化が伝わってきた。旧石器時代以来、縄文時代を通して築かれた日本文化の基層に、弥生時代になって稲作、銅、鉄などの金属器が、そして漢字も伝わり、さらに六世紀には仏教が伝来し、中国に倣って日本の骨格の基礎を作った。その後、一六世紀の大航海時代には、鉄砲伝来など、南蛮文化として西洋の知識も学び、一九世紀後半からは積極的に西洋文化を取り込み、二〇世紀後半からはアメリカ文化に大きく影響を受けている。

その都度大きく翻弄されながらも、既存の文化がすべて上書きされて消えるのではなく、渡来した文化を自然に取り込んで新たな融合を生み、多層的で多様性に富んだ文化が拡大的に形成されてきた。そして、その多様で多岐にわたる文化のそれぞれを語ってくれる生き証人が文化財として残されているのである。日本の文化財が、さまざまな分野にわたってたいへんバラエティーに富んでいる所以である。

古来たびたび繰り返された内戦、明治維新後の廃仏毀釈、そして米軍による空爆、さらに災害大国日本において避けることができない地震や台風などの自然災害など、繰り返される文化財保全に対する障害は多々あるが、文化財保護法が整備され、古くからの重要な文化財が国宝、重要文化財として大事に保護されてきた。さらに、都道府県や市町村も文化財保護条例を制定し、文化財指定制度を設けている。しかし、日本文化の多様性がますます拡がっていく中、文化財指定に至るまでのプロセスに時間がかかり、まだ指定に至っていない重要な文化財も少なくない。このまま手を拱(こまね)いていると、その価値が正当に評価される前に、減価償却した存在として消えていくことになりかねない。

これでは間に合わないということから、建造物を中心に文化財登録制度が補完的に設けられたが、築後五〇年を越えないとその対象とはならない。そして、いわゆる指定予備群としての未指定文化財の問題は手つかずのままになっているのが現状である。このあたりの解決策として、文化庁は、有形、無形文化財を含めて地域におけるストーリーの中で管理していこうとする「日本遺産」という概念の導入を試みてはいるが、やはりしっかりとした保護の対象としては指定文化財が優先されるのが現状である。

文化財指定制度のスピードアップ化、保存修理の充実、未指定文化財に対するケア、公開展示の環境整備など、文化財保護を取り巻くさまざまな問題も基本的には経費をかければ解決の糸口が見出せるのではなかろうか。これは文化行政の根幹に関わる課題でもあるので、その全体を掌る文化庁の予算についてみておく必要があるだろう。

文化行政における経費の問題

本書を執筆するなかで、機会があれば、出会った人に、「文化庁の年間予算は国家予算のどの程度を占めているか」、という質問を投げかけてきた。しかし、この問いかけに即座に正しい回答を返してくれる人がほとんどいないのが現状である。博物館、美術館に関わる人たちでも、「二〜三％程度でしょう」、「少ないけど一％ぐらいはあるのかな」、中には「五％程度」という答えが返ってくる場合もある。「〇・一％のレベルで、一〇年以上ほとんど変わっていない」というと、皆さん一様にたいへん驚くのである。どうやら、ほとんどの日本人は、「日本は文化の国だから予算も潤沢だ」という幻想を抱いているようである。令和五年度の概算要求時点では、一三五〇億円であったが、最終的には、一〇七七億円となり、前年度から一億円の増(＋〇・一％)となった。一般会計予算は約一一四兆四〇〇〇億円であるから、文化庁予算の占める割合は〇・一％弱ということになる。イメージがしやすいようにたとえれば、一般会計予

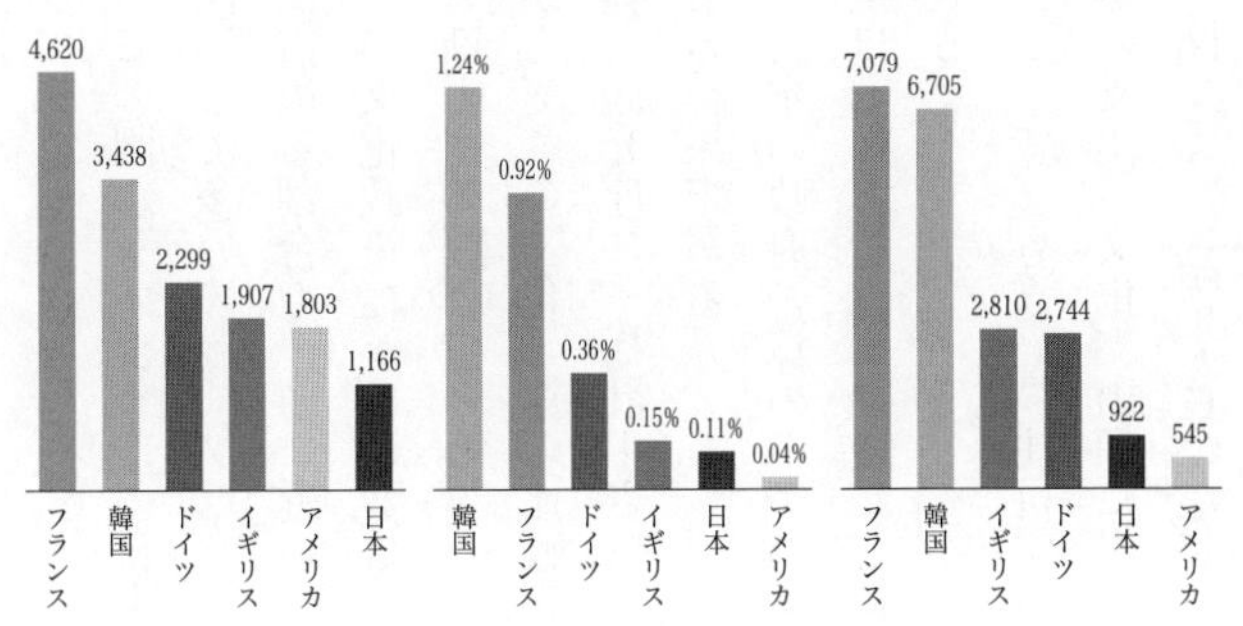

図V-1　各国の文化予算の比較(2020年の値で比較.『令和2年度文化行政調査研究 諸外国における文化政策等の比較調査研究事業報告書』より)

算が一〇〇〇円とすると、文化庁予算は約一円に相当することになる。

私も、この話題を自ら好んでしているわけではないが、現実の話であるのでここで取り上げざるを得ない。なお、文化庁予算とは、本書がテーマとしている「文化財の保護」だけではなく、芸術創作活動の振興、著作権等の保護、国語の改善・普及、国際文化交流の振興、宗教に関する事務など、文化庁が掌るすべての任務に対するものであるから、総予算に占める割合が小さいと感じるのは当然であろう。

文化庁は、二〇一二(平成二四)年から、日本、イギリス、アメリカ、ドイツ、フランス、韓国という調査対象国六ヵ国における各国の文化支出額の比較を行ってきている。

図V-1は、各国の文化予算の割合を比較したグラフである。

この図が示すように、日本は対象六ヵ国の中で文化支出額が最も少ないことがわかる。一方、傑出して多いのが、フランスと韓国である。フランスは、予算規模では日本の四倍、政府予算に占める割合も一％に近い。国民一人あたりの額も日本の八倍に近い。特に注目すべきは、韓国の文化政策にかける意気込みである。日本のほぼ三倍の支出額で、政府予算でも一・二四％と断トツの高率である。そして、国民一人あたりの額も日本の七倍を越えているのである。しかも、この文化予算の比較調査において、日本の文化予算として計上しているのは、文化庁予算と観光庁に一括計上されている国際観光旅客税財源を充当する事業予算を合算した額を用いての結果である。

日本の政府予算の中での文化庁予算の占める割合が約〇・一％という状況は、ここ一〇年以上ほとんど変化がないが、韓国では一〇年間で〇・七九％から一・二四％と毎年大幅に上昇している。

ここで、もう一つ注目すべき比較データがある。それは、本書のテーマである文化財保護に係る支出が文化支出額に占める割合の国別の比較である。その結果を図V-2に示す。

図V-2の結果を見て驚くのは、日本では、政府予算の〇・一％に過ぎない文化庁予算の三九

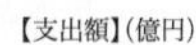
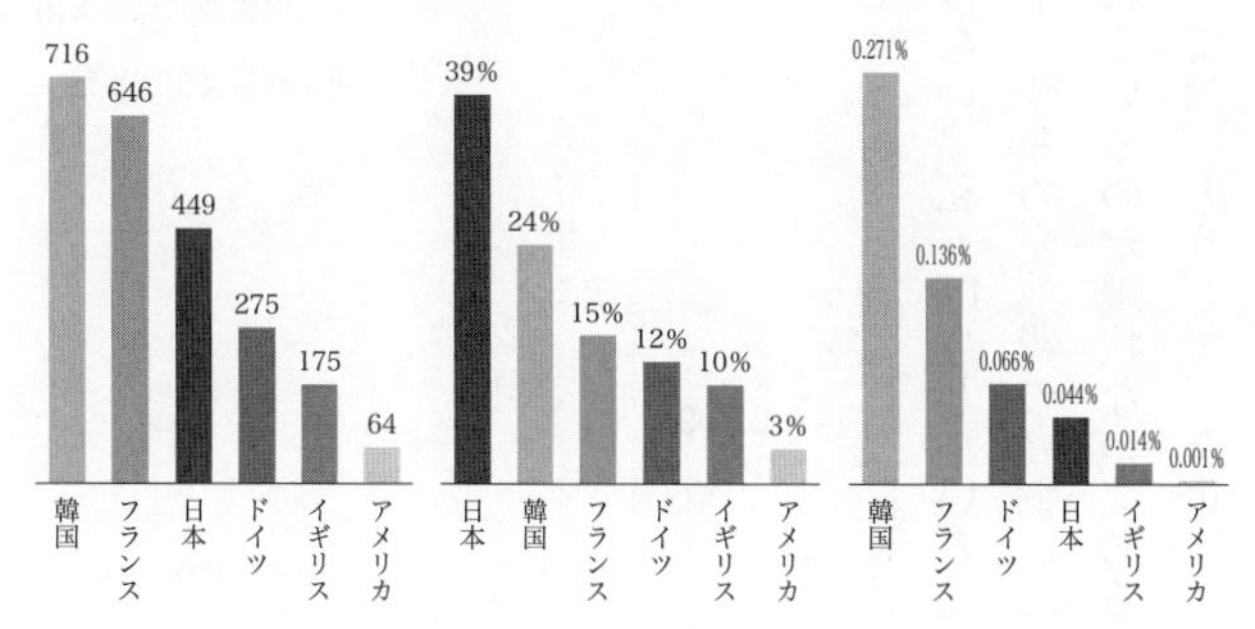

図V-2　各国の文化財保護に係る支出の比較(2019年の値で比較.『令和2年度 文化行政調査研究 諸外国における文化政策等の比較調査研究事業報告書』より)

%が、文化財保護に使われているという事実である。文化庁は、文化財保護の他に、多くの重要な任務を抱えているのだから、そちらに回る経費がそんなに少なくていいはずがないではないか。

私としても、本書で文化財保護の重要性を強調してはいるが、当然ながら芸術創作活動の振興などもたいへん重要なことは十分に承知している。

図V-3は、各国の文化支出額の中で占める文化財保護に係る支出の比較である。フランスや韓国では、文化財保護も充実しているが、それ以外の分野にかける経費がたいへん大きいことにも驚かされる。文化予算のバランスとしては、これが逆に健全な姿ではないかとも思えるのである。日本の文化予算は、当然ながら文化財保護の経費をさらに増やす必要もあるが、歌舞伎や能楽、そして文楽などの伝統芸能、さらには舞

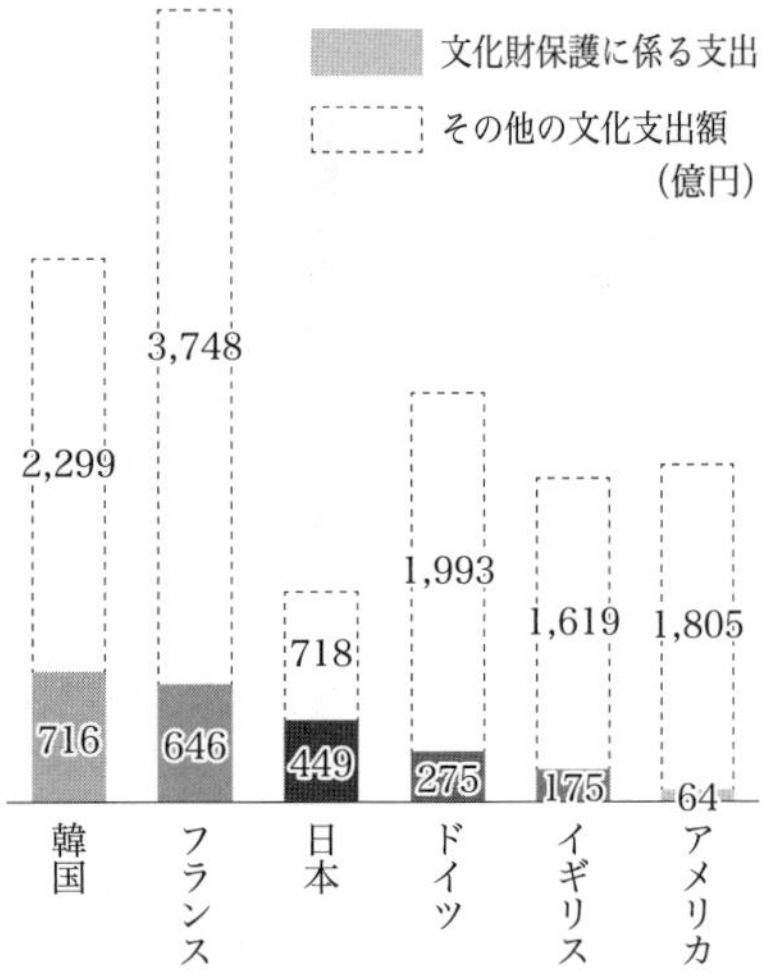

台芸術や音楽コンサートなど、さまざまな芸術創作活動に関わる経費、そして、博物館や美術館運営にかかる経費なども大きく増やす必要があるだろう。各国と比べてもその少なさに、「日本は文化の国」といえるのだろうかと首を傾げたくなる。

二〇二三(令和五)年の初めに、東京国立博物館の藤原誠館長が、光熱費高騰によって文化財を守る予算が不足し、ミュージアム運営に支障が出てきていることを訴えたが、この事態は国立博物館だけの問題ではない。私も関与している地方都市の博物館や美術館などは、もともと運営費も潤沢ではない中、昨今の光熱費の高騰のため、最後の手段としては閉館しかないというところまで追い込まれているのが現状なのである。

	文化財保護に係る支出	その他の文化支出額
韓国	716	2,299
フランス	646	3,748
日本	449	718
ドイツ	275	1,993
イギリス	175	1,619
アメリカ	64	1,805

(億円)

図V-3 各国の文化財保護に係る支出の比較(『令和2年度 文化行政調査研究 諸外国における文化政策等の比較調査研究事業報告書』より)

では、どうして、文化庁の予算が低め安定で伸びないのだろうか?

その要因として、「戦後の文部行政全体の重要政策案件としてまず「教育」が上位にあり、「文化」が後塵を拝したこと」が背景にあるのではないかと、青柳正規元文化庁長官は指摘している。そして、文化庁は、文化財保護法の運用を専らとする文化財保護委員会に文化局を統合した形で発足した歴史的背景があるため、当初は文化財保護が主要な業務であったことがいまも予算構成に反映されているということのようである。文化財保護法の歴史を繙(ひもと)いてみても、戦後に議員立法として成立した文化財保護法は、将来を見通した文化行政の枠組みを作る前に出来上がった特別な法案であり、今は文化芸術基本法の下に置かれることになった背景もここにあるのだろう。

最後に、もう一つ大事な比較データを挙げておきたい。各国における地方政府、日本では地方公共団体(都道府県及び市町村など)が計上する文化支出額を集計して、国の支出額と比較した結果が、図V-4である。

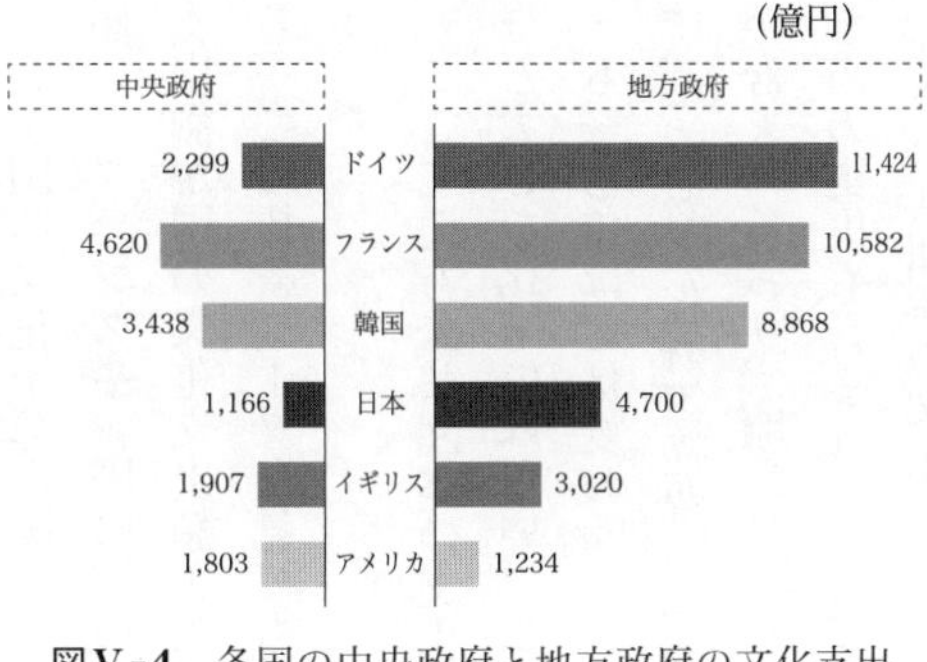

図V-4　各国の中央政府と地方政府の文化支出額比較(2020年の値で比較.『令和2年度 文化行政調査研究 諸外国における文化政策等の比較調査研究事業報告書』より)

わが国の文化予算が少ないことはすでに述べたが、日本全国の地方自治体の文化支出額の総額は、フランスや韓国の国の予算を越えている。しかし、両国ともそれぞれの地方政府の文化支出額が国の文化支出額を大きく上回り、国と地方を合わせるとたいへん大きな額になっている。この比較データを見ても、とにかく日本政府の文化予算の規模が小さいことがわかるだろう。

ここで地方公共団体の文化予算の内訳をみてみると、「文化財保護経費」は約一七%とそれほど大きな比率ではない。松田陽東京大学准教授によると、この一七%という比率は、少なくとも一〇年ほどは変わっていないという。そして、松田氏は、「この「文化財保護経費」の中に、「重要文化財等経費」、「埋蔵文化財経費」と「国・地方公共団体指定文化財保護管理経費」が含まれており、地方レベルの文化財経費の中には各自治体内にある国指定の文化財の管理のための支出も含まれる。つまり、比率が相対的に低い「文化財保護経費」のうちで、純粋に「地方公共団体の文化財」に対して支出される額はさらに少ない。それはすなわち、日本全体の文化財行政の中で、「地方公共団体の文化財」の保護のための支出比率がかなり小さく、逆に言うと、日本全体の文化財行政が、「国の文化財」を中心にして動いていることを意味する」という指摘をしている。

地方の時代と言われながらもこのような現状では、指定予備群である未指定文化財の重要性を説いても、なかなか行政は動けないことが理解できる。京都府が全国に先駆けて始めた京都府下の地域に残された未指定文化財を対象とした「京都府暫定登録文化財」制度は、一つの突破口になるのではないかと期待するのである。

以上、日本の文化行政予算の現状について、これまでに公開されているデータをもとに概観してみた。もちろん、内容的なことには一切触れておらず、経費面だけの比較であるが、京都移転に伴う新文化庁がその機能を発揮するに十分な予算が獲得できているのか心配になるとともに、日本が「文化の国」として、今後ともインバウンド効果を期待するのなら、その大事な資源としての「文化財」を「活用」するためには、文化財のあり方を根本的に見直すことが必要であろう。何度も繰り返すが、「活用」のためには「保存修理」が保証されなければならない。そのためには先行投資としての経費が必要なのである。

また、二〇二三(令和五)年の博物館法の改正によって、文化芸術基本法の精神に基づいて、地域間の博物館同士のネットワーク連携を深め、さらに、「教育や文化の域を超えて、まちづくり、観光、福祉、国際交流といったさまざまな分野との連携による地域社会への貢献」を期待されても、地域の博物館施設は、現時点でもとにかく人員不足であり、予算的に全く余裕のない状態であるため、その要望に応えたくとも即座に対応できる状況ではないのが現状なのである。

ここでは、本書の中心テーマである文化財保護に絞って述べているが、日本文化そして芸術分野全体からみても、文化庁予算が、国家予算のせめて〇・二%、すなわち一〇〇〇円分の二円分になるだけでも事態は大きく前進するのではなかろうか。

文化財の未来図

最近の情報社会の中でよく耳にするのだが、われわれ現代人が一日に接する情報量は、江戸時代の人の一年分、平安時代の人の一生分に相当するという話がある。この話の真偽はともかく、最近の社会の目まぐるしい動きはたいへん慌ただしい限りであり、日常生活においてもあらゆる情報が湧いては消えていくスパンが短いことを肌感覚で感じる。

こんな気忙しい現代社会において、文化財を取り巻く状況のゆっくりとした歩みでは、将来的に日本の文化財を守っていくことは可能なのだろうか、ということを心配してしまうのである。江戸時代のものでも、文化財としての価値が正当に評価されていないものも多い現状で、明治、大正、昭和、平成、令和の時代に生み出されたものが文化財として評価されるまで、その存在を持ちこたえることができるのだろうか。例えば、一〇〇年後の二一二三年、二二世紀の日本における文化財の状況はどうなっているのだろうか。われわれの時代に生み出された文化財は、形あるものとして存在しているのだろうか。

その課題は、文化財そのものをどう捉えるかという問題にも波及する。私のこだわりは、「もの」としての有形文化財である。しかし、近代以降、手作業の「ものつくり」の担い手である伝統工芸などの技術者は激減し、その産物である「もの」自体も減り、工業的産物としての「モノ」が隆盛である。SDGsとはいうものの、工業化社会においては日々新しい素材とそれに伴う製品が開発され、しかも経済成長を目的とする消費社会の中では、材料の寿命を考えた設計は二の次になり、消耗品としての廃棄物が増えることになる。このような現代社会の中で、現代の「文化財」として残せるものは何か、が問われることになる。

将来的には、文化財はデジタル・アーカイブ化されたヴァーチャルな世界にのみ存在しており、現物のものとして残っているのは、現在でも大事に保存されている古い時代の指定文化財がほとんどであるような事態が展開しているのではなかろうか。そして、データ化された文化財の形ある存在が必要となれば、データを基に3Dプリンタで出力すればこと足りるとする時代が到来することまでも想像してしまう。

大事に保存しなければいけない現物のものとして文化財が増え続ければ、その保管場所としてのスペースの確保がたいへんになってくるのも現実的な課題である。現在でも保管場所の省スペース化が図られ、書類のペーパーレス化が促進され、デジタル化によって紙焼きの写真すら消えようとしている。書籍も電子化が進んでいる。

博物館自体も今後さらにDX(デジタルトランスフォーメーション)化が促進されていく中で、このように視覚情報だけがどんどん肥大化していくことに私が少々の戸惑いと危惧を抱いているのも事実である。人間の本質として、五感の感性を有することが大事であると思っている私にとって、先人たちが残してくれたほんものの文化財と対峙し、同じ空間で呼吸することは、最高の「心のインフラ」と位置づけられる。これからの一〇〇年、日本の文化財を巡る世界がどのように展開していくのだろうか、私には最後まで見届けることができない。

参考文献

第I章

金井健「近現代建造物の文化財保存理念の展開に関する基礎的研究(その1):文化財保護法下における「文化財」概念の創出と変容」『日本建築学会計画系論文集』八六巻七八四号、二〇二一年
作間逸雄・作間美智子「文化財保護をめぐるナショナリズムとインターナショナリズム」『専修大学社会科学研究所月報』No.450, 二〇〇〇年
佐藤義明「〈論説〉武力紛争における文化財の保護」『成蹊法学』第八五号、二〇一六年
佐藤義明「武力紛争における文化財の保護」国際法学会エキスパート・コメントNo.2016-7(https://jsil.jp/archives/expert/2016-7)
柴田雄次「「古文化財の科学」発刊に際して」『古文化財之科学』第1号、一九五一年
新村出編纂『辞苑』博文館、一九三五年
新村出編『言林(昭和二四年版)』全国書房、一九四九年
新村出編『広辞苑(第一版)』岩波書店、一九五五年
鈴木良「文化財の誕生」『歴史評論』第五五五、一九九六年

鈴木良「近代日本文化財問題研究の課題について」『歴史評論』第五七三、一九九八年
高田保馬『社会学原理』岩波書店、一九一九年
高橋暁・増田兼房「文化遺産保護と紛争に関する国際規範形成の歴史」『歴史都市防災論文集』Vol.4, 二〇一〇年
坪井清足、浜田隆、関野克、平野邦雄、児玉幸多、仲野浩「文化財保護をめぐって〈座談会〉」「「文化財」の概念規定」児玉幸多・仲野浩編『文化財保護の実務』(上)柏書房、一九七九年
柳父章『文化 一語の辞典』三省堂、一九九五年
吉田守男「京都・奈良はなぜ空襲を免れたか—「ウォーナー伝説」の崩壊—」『世界』五八二、岩波書店、一九九三年

第II章

五木寛之『捨てない生きかた』マガジンハウス新書、二〇二二年
川村建夫・伊藤信太郎編著『文化芸術基本法の成立と文化政策—真の文化芸術立国に向けて—』水曜社、二〇一八年
高妻洋成・小谷竜介・建石徹編『入門 大災害時代の文化財防災』同成社、二〇二三年
小林真理「文化行政が目指すもの」『文化政策の現在3 文化政策の展望』東京大学出版会、二〇一八年
小林真理・小島立・土屋正臣・中村美帆『法から学ぶ文化政策』有斐閣、二〇二一年

関口和哉「『罹災美術品目録』と『大正震災志　附録』の比較検討」『日本伝統文化学会誌』第一号、二〇一六年
竹内敏夫・岸田実『文化財保護法詳説』刀江書院、一九五〇年
田辺三郎助「文化財の収蔵・展示の問題」『全文連会報』第二二号、全国国宝重要文化財所有者連盟、一九九六年
辻善之助「廢佛毀釋」『岩波講座　日本歴史』岩波書店、一九三五年
東京国立博物館編『松平定信古画類聚　調査研究報告書　図版編』毎日新聞社、一九九〇年
動産文化財救出マニュアル編集委員会編『動産文化財救出マニュアル－思い出の品から美術工芸品まで－』クバプロ、二〇一二年
中岡司『文化行政50年の軌跡と文化政策』悠光堂、二〇二一年
中村賢二郎『わかりやすい文化財保護制度の解説』ぎょうせい、二〇〇七年
西村幸夫『都市保全計画－歴史・文化・自然を活かしたまちづくり－』東京大学出版会、二〇〇四年
根木昭・佐藤良子『文化芸術振興の基本法と条例－文化政策の法的基盤I－』水曜社、二〇一三年
文化財保護委員会編『文化財保護法制定前の文化財保護をめぐる座談会』一九五五年
文化財保護委員会『文化財保護の歩み』一九六〇年
文化財保護法研究会編著『最新改正　文化財保護法』ぎょうせい、二〇〇六年
文化財保存修復学会編『文化財は守れるのか?－阪神・淡路大震災の検証－』クバプロ、一九九九年

本田光子「曝涼・曝書と文化財IPM」『文化財の虫菌害』62号、文化財虫菌害研究所、二〇一一年
「(てんでんこ)街の余韻を捜す」1〜5『朝日新聞』二〇二一年一一月三〇日〜一二月四日
文部省『学制百年史』一九七二年

第Ⅲ章

デービッド・アトキンソン『新・観光立国論』東洋経済新報社、二〇一五年
デービッド・アトキンソン『世界一訪れたい日本のつくりかた』東洋経済新報社、二〇一七年
今井健一朗・二神葉子「諸外国における文化財の把握と輸出規制の概要」『保存科学』No.50, 東京文化財研究所、二〇一一年
岩城卓二・高木博志編『博物館と文化財の危機』人文書院、二〇二〇年
岸岡貴英「文化財を未来へ残すためにできること」『〈講演記録〉令和元年度 技の継承セミナー』京都府・京都伝統工芸協議会、二〇二〇年
鬼原俊枝「国宝「鳥獣人物戯画」の保存修理―文化財保存、及び美術史的観点から―」高山寺監修・京都国立博物館編『鳥獣戯画 修理から見えてきた世界―国宝 鳥獣人物戯画修理報告書―』勉誠出版、二〇一六年
京都国立博物館編『美を伝える―京都国立博物館文化財保存修理所の現場から―』京都新聞出版センター、二〇一一年
国宝修理装潢師連盟『装潢史』二〇一一年

佐藤道信『明治国家と近代美術―美の政治学―』吉川弘文館、一九九九年
竹内正人・竹内利江・山田浩之編『入門 観光学』ミネルヴァ書房、二〇一八年
早川泰弘・高妻洋成・建石徹編『文化財をしらべる・まもる・いかす―国立文化財機構 保存・修復の最前線―』アグネ技術センター、二〇二二年
藤田香織「歴史的建造物の免震レトロフィット」『MENSHIN』No.61, 日本免震構造協会、二〇〇八年
松本伸之「明治古都館の耐震改修」『京都国立博物館だより』No.214, 二〇二二年
村上裕道「阪神・淡路大震災からの復興 旧神戸居留地十五番館の修復」文化財保存修復学会編『何をどう残すのか？―文化財の保存と修復―』クバプロ、一九九九年
村上隆「文化財不可視情報の可視化―「見えないもの」を見る視座―」田中琢・佐原真編『全面改訂 新しい研究法は考古学に何をもたらしたか』クバプロ、一九九五年
村上隆「文化財の保存と修復を考える」『〈講演記録〉文化財保存修復セミナー』京都府・京都伝統工芸協議会、二〇一六年
山下晋司編『観光学キーワード』有斐閣双書キーワード、二〇一一年

第Ⅳ章

荒木かおり「保存の為の模写事業―二条城二の丸御殿模写―」『京都市文化観光資源保護財団会報』一一〇号、二〇一四年

一般財団法人デジタル文化財創出機構編『デジタル文化革命！―日本を再生する〝文化力〟―』東京書籍、二〇一六年
大河内智之「3Dプリンター製「お身代わり仏像」の活用と文化財保護」『複製がひらく文化財の未来（文化財活用センター公開シンポジウム2019報告書）』独立行政法人国立文化財機構文化財活用センター、二〇二〇年
佐藤道信「近代日本の模写・模造」『特別展　模写・模造と日本美術―うつす・まなぶ・つたえる―』東京国立博物館、二〇〇五年
「大特集　万国贋作博覧会」『芸術新潮』一九九〇年七月号
西川明彦『正倉院のしごと　宝物を守り伝える舞台裏』中公新書、二〇二三年
村上隆「博物館の展示環境」京都造形芸術大学編『文化財のための保存科学入門』角川学芸出版、二〇〇二年
村上隆「文化財と3Dプリンタ」桐原慎也監修『「新たなものづくり」―3Dプリンタ活用最前線―』エヌ・ティー・エス、二〇一五年
村上隆「VRと3Dプリンタによる三角縁神獣鏡の復原」『日本バーチャルリアリティ学会誌』Vol.20, No.1, 二〇一五年
村上隆「美の記憶」便利堂企編『時を超えた伝統の技―文化を未来に手渡すコロタイプによる文化財の複製―』便利堂、二〇一六年
村上隆「時代の質感―文化財をどのように修理し活用するか―」『〈講演記録〉技の継承セミナー』京都府・京

都伝統工芸協議会、二〇一七年
村上隆「国宝薬師寺東塔の水煙・相輪の調査と復元」加藤朝胤他『よみがえる白鳳の美 国宝薬師寺東塔解体大修理全記録』朝日新聞出版、二〇二一年
村上隆「三角縁神獣鏡」『國華』第一五〇四号、第一二六編、第七冊、朝日新聞出版、二〇二一年
山口晃「模写と複写」前掲『複製がひらく文化財の未来』二〇二〇年

第V章

「日本の文化予算はなぜ少ないままなのか？　元文化庁長官に聞く（青柳正規氏インタビュー）」『美術手帖』（web 版 https://bijutsutecho.com/magazine/interview/26751）、二〇二三年
藤原誠「国宝を守る予算が足りない！」『文藝春秋』二〇二三年二月号
松田陽「保存と活用の二元論を超えて―文化財の価値の体系を考える―」前掲『文化政策の現在3 文化政策の展望』二〇一八年
『令和2年度 文化行政調査研究 諸外国における文化政策等の比較調査研究事業報告書』一般社団法人芸術と創造、二〇二一年
『令和3年度 文化庁と大学・研究機関等との共同研究事業 新型コロナウイルス感染症の影響に伴う諸外国の文化政策の構造変化に関する研究』［報告書・サマリー版］文化庁地域文化創生本部事務局総括 政策研究グループ・獨協大学、二〇二二年

おわりに

二〇二一(令和三)年五月から六月にわたって、私は「新型コロナウイルス感染症」(COVID-19)に罹患し入院した。中等症Ⅱ、重症の一歩手前ということで、ひたすらベッドの上で寝ているだけの日々を送った。いつ生還できるかの見通しもない中、終日ベッドに横たわりながら、もし退院できたらやらなくてはいけないことを考えた。その中の一つに、自分がこれまで関わってきた文化財の未来について考えていることを書き残す、ということがあった。何とか無事に退院ができて、いざ書き出そうとしたが、これがなかなか難しい。文化財と関わって約半世紀にもなるのだが、思っていた以上に理解が浅い自分に愕然とした。

私の名前を「隆(りゅう)」と読ませるのは、私の父、彫刻家村上炳人(へいじん)(一九一六(大正五)〜一九九七(平成九)年)が、一九四九(昭和二四)年に焼損した法隆寺金堂の復元事業に参画した彫刻家四人の一人で、ちょうどその最中に私が生まれたことに因んでいる。一九三四(昭和九)年に十代で院展デビューし、院展で活躍するが、その後一九三七(昭和一二)年に中国戦線に駆り出され、一度復員するも、一九四三(昭和一八)年に再応召されて、トラック島にて九死に一生を得て、終戦の翌年一九四六(昭和二一)年に何とか帰国した。二〇代のほとんどを戦地で過ごさざるを得なかった彼にとって、法隆寺の復元事業に関わったことは大きなエポックであったことだろう。

その後、戦災で焼失した大阪四天王寺の復興にも関わった父が、一九六一(昭和三六)年に金堂の御本尊「救世観音菩薩」を謹製したのは、私が小学校一年の時であった。その後、彼は二紀会に移り、大分市の「ムッちゃん平和像」などの具象性の高い作品から抽象モニュメントまでさまざまな作品群を残したが、その制作現場の中で私は育った。いったんは材料科学者をめざした私が、紆余曲折を経て文化財研究に回帰したのも、父の背中をみていたからなのだろう。

縁あって、奈良国立文化財研究所において文化財保存科学を担当することになったが、当初は平城宮跡の発掘調査に携わり、長屋王邸跡から大量に発見された長屋王木簡群の出土の現場にも立ち会うこともできた。その後、飛鳥藤原宮跡発掘調査部に移ってからも、七世紀最大の工房跡「飛鳥池工房遺跡」から出土した日本最古の貨幣「富本銭」の分析調査や、キトラ古墳の出土品の分析調査などに携わった。

また、大量の銅剣、銅鐸などが出土した島根県出雲神庭荒神谷遺跡から始まり、弥生時代を代表する静岡市登呂遺跡、世界遺産になった島根県石見銀山遺跡や新潟県佐渡金山遺跡など、全国各地の遺跡発掘における科学的調査にも関わった。歴史材料科学を標榜した私が、法隆寺の宝物調査を担当した時には、運命的な出会いを感じたものである。研究所が、国立博物館と一緒に独立行政法人国立文化財機構 奈良文化財研究所となった直後、京都国立博物館に異動し、文化財保存修理指導室長として、文化財保存修理所における国宝・重要文化財の彫刻、絵画の修理現場の統轄を行い、その後、学芸部長の時に、平成知新館の新設に携わった。ちなみに、「平成知新館」ネーミングの提案者でもある。

また、富山県の高岡市美術館の館長に就くとともに、京都美術工芸大学教授として、文化財修理をめざす学生を育てるコースを担当し、その後副学長も務めた。京都未来の匠「技の継承」事業専門家会議委員、京都市元離宮二条城保存整備委員会委員、国宝薬師寺東塔修理臨時委員会委員など、さまざまな角度から文化財と関わってきた。

それなりの経験は積んできたつもりであったが、文化財全体の歴史を俯瞰し、そのあり方の問題に言及することは予想以上に荷が重く、改めて勉強し直すことも多かった。しかし、文化財の未来を守ることは日本文化にとって不可欠であるという強い思いだけを支えとして何とかまとめたのが本書である。完成までに二年に近い年月を要してしまった。

本書は、「文化財」という言葉へのこだわりから始まり、文化財保護の歴史を探るとともに、修理の重要性を説き、複製の効用と可能性にも言及した。そして、私が、特に拘っているのが、未指定文化財の将来であることも強調した。文化財保護は「保存」と「活用」が両輪であるが、日本の未来を考えると、水、そして空気と同様にその保全を必要とするのが文化財であると強い思いに駆られるのである。文化財は日本人の「心のインフラ」である。

文化財の抱える問題の解決の糸口の一つは、経済的なサポートの充実であろう。経済効果をもたらす文化財保全を育てるためには、まず文化財の活用の前提として保存修理を担保することが重要であり、両者の循環のシステム化を実現するための先行投資が必要であることを強調しておきたい。活用だけが独り歩きしていくと、われわれの世代で文化財は消耗品として消え去る運命にあることを肝に銘じないといけない。

ちょうど古希を迎えた二〇二三年の夏に、本書をまとめることができたことで積年の思いをようやく果たすことができた。本書の執筆にあたっては、先人の著作、論考など多くの資料を参考にさせていただいていることをここに記して、深甚の謝意を表する。もし、内容的な不備、誤謬があれば、それは著者の責任であることを付記しておく。

最後に、編集を担当していただいた岩波書店新書編集部の飯田建さんには、たいへんお世話になった。彼の尽力と助言がなければ本書は成就しなかっただろう。ここに改めて御礼を申し上げる。

本書が、文化の国、日本の未来を考える上で、少しでもお役に立つことができるなら望外の喜びである。

村上 隆

二〇二三年 酷暑の夏 平城山(ならやま)にて

村上 隆

1953年京都府生まれ．京都大学工学部卒業，同大学院工学研究科修士課程修了．東京藝術大学大学院美術研究科博士課程修了．学術博士
独立行政法人国立文化財機構 奈良文化財研究所上席研究員，京都国立博物館学芸部部長等を歴任
現在－高岡市美術館館長，京都美術工芸大学特任教授，光産業創成大学院大学客員教授，奈良文化財研究所客員研究員，石見銀山資料館名誉館長ほか
専攻－歴史材料科学，ものつくり文化史，博物館学
著書－『金工技術(日本の美術443)』(至文堂)
『金・銀・銅の日本史』(岩波新書)
『よみがえる白鳳の美 国宝薬師寺東塔解体大修理全記録』(共著，朝日新聞出版) ほか

文化財の未来図
―〈ものつくり文化〉をつなぐ　　岩波新書(新赤版)1998

2023年12月20日　第1刷発行

著　者　村上　隆(むらかみ りゅう)

発行者　坂本政謙

発行所　株式会社 岩波書店
〒101-8002 東京都千代田区一ツ橋2-5-5
案内 03-5210-4000　営業部 03-5210-4111
https://www.iwanami.co.jp/

新書編集部 03-5210-4054
https://www.iwanami.co.jp/sin/

印刷製本・法令印刷　カバー・半七印刷

ISBN 978-4-00-431998-6　　Printed in Japan

岩波新書新赤版一〇〇〇点に際して

ひとつの時代が終わったと言われて久しい。だが、その先にいかなる時代を展望するのか、私たちはその輪郭すら描きえていない。二〇世紀から持ち越した課題の多くは、未だ解決の緒を見つけることのできないままであり、二一世紀が新たに招きよせた問題も少なくない。グローバル資本主義の浸透、憎悪の連鎖、暴力の応酬——世界は混沌として深い不安の只中にある。

現代社会においては変化が常態となり、速さと新しさに絶対的な価値が与えられた。消費社会の深化と情報技術の革命は、種々の境界を無くし、人々の生活やコミュニケーションの様式を根底から変容させてきた。ライフスタイルは多様化し、一面では個人の生き方をそれぞれが選びとる時代が始まっている。同時に、新たな格差が生まれ、様々な次元での亀裂や分断が深まっている。社会や歴史に対する意識が揺らぎ、普遍的な理念に対する根本的な懐疑や、現実を変えることへの無力感がひそかに根を張りつつある。そして生きることに誰もが困難を覚える時代が到来している。

しかし、日常生活のそれぞれの場で、自由と民主主義を獲得し実践することを通じて、私たち自身がそうした閉塞を乗り超え、希望の時代の幕開けを告げてゆくことは不可能ではあるまい。そのために、いま求められていること——それは、個と個の間で開かれた対話を積み重ねながら、人間らしく生きることの条件について一人ひとりが粘り強く思考することではないか。その営みの糧となるものが、教養に外ならないと私たちは考える。歴史とは何か、よく生きるとはいかなることか、世界そして人間はどこへ向かうべきなのか——こうした根源的な問いとの格闘が、文化と知の厚みを作り出し、個人と社会を支える基盤としての教養となった。まさにそのような教養への道案内こそ、岩波新書が創刊以来、追求してきたことである。

岩波新書は、日中戦争下の一九三八年一一月に赤版として創刊された。創刊の辞は、道義の精神に則らない日本の行動を憂慮し、批判的精神と良心的行動の欠如を戒めつつ、現代人の現代的教養を刊行の目的とする、と謳っている。以後、青版、黄版、新赤版と装いを改めながら、合計二五〇〇点余りを世に問うてきた。そして、いままた新赤版が一〇〇〇点を迎えたのを機に、人間の理性と良心への信頼を再確認し、それに裏打ちされた文化を培っていく決意を込めて、新しい装丁のもとに再出発したいと思う。一冊一冊から吹き出す新風が一人でも多くの読者の許に届くこと、そして希望ある時代への想像力を豊かにかき立てることを切に願う。

（二〇〇六年四月）

岩波新書より

芸術

カラー版 名画を見る眼II　高階秀爾
カラー版 名画を見る眼I　高階秀爾
占領期カラー写真を読む　佐藤洋一／衣川太一
水墨画入門　島尾新
酒井抱一 俳諧と絵画の織りなす抒情　井田太郎
平成の藝談 歌舞伎の真髄にふれる　犬丸治
K-POP 新感覚のメディア　金成玟
ベラスケス 宮廷のなかの革命者　大高保二郎
ヴェネツィア 美の都の一千年　宮下規久朗
丹下健三 戦後日本の構想者　豊川斎赫
学校で教えてくれない音楽◆　大友良英
中国絵画入門　宇佐美文理
瞽女うた　ジェラルド・グローマー
東北を聴く　佐々木幹郎
黙示録　岡田温司

ボブ・ディラン ロックの精霊　湯浅学
仏像の顔　清水眞澄
柳宗悦　中見真理
ヘタウマ文化論　山藤章二
小さな建築　隈研吾
コルトレーン ジャズの殉教者　藤岡靖洋
雅楽を聴く　寺内直子
歌謡曲　高護
歌舞伎の愉しみ方　山川静夫
自然な建築　隈研吾
肖像写真　多木浩二
東京遺産　森まゆみ
絵のある人生　安野光雅
日本の色を染める　吉岡幸雄
プラハを歩く　田中充子
日本絵画のあそび　榊原悟
ぼくのマンガ人生　手塚治虫
日本の近代建築 上・下　藤森照信
ゲルニカ物語　荒井信一

千利休 無言の前衛　赤瀬川原平
やきもの文化史　三杉隆敏
歌右衛門の六十年　中村歌右衛門／山川静夫
フルトヴェングラー　脇圭平／芦津丈夫
明治大正の民衆娯楽　倉田喜弘
茶の文化史　村井康彦
日本の耳　小倉朗
日本の子どもの歌　園部三郎／山住正己
二十世紀の音楽　吉田秀和
水墨画　矢代幸雄
絵を描く子供たち　北川民次
ギリシアの美術　澤柳大五郎
音楽の基礎　芥川也寸志
日本刀　本間順治
日本美の再発見〔増補改訳版〕　ブルーノ・タウト／篠田英雄訳
ミケルアンヂェロ　羽仁五郎

(2023.7)　◆は品切，電子書籍版あり．(R)

社会

- 女性不況サバイバル　竹信三恵子
- パリの音楽サロン　青柳いづみこ
- 持続可能な発展の話　宮永健太郎
- 皮革とブランド　変化するファッション倫理　西村祐子
- 動物がくれる力　教育、福祉、そして人生　大塚敦子
- 政治と宗教　島薗進編
- 超デジタル世界　西垣通
- 現代カタストロフ論　金子勝　児玉龍彦
- 「移民国家」としての日本　宮島喬
- 迫りくる核リスク　〈核抑止〉を解体する　吉田文彦
- 記者がひもとく「少年」事件史　川名壮志
- 中国のデジタルイノベーション　小池政就
- これからの住まい　川崎直宏
- 検察審査会　デイビッド・T・ジョンソン　平山真理　福来寛
- ドキュメント〈アメリカ世〉の沖縄　宮城修
- 東京大空襲の戦後史　栗原俊雄
- 土地は誰のものか　五十嵐敬喜
- 民俗学入門　菊地暁
- 企業と経済を読み解く小説50　佐高信
- 視覚化する味覚　久野愛
- ロボットと人間　人とは何か　石黒浩
- ジョブ型雇用社会とは何か　濱口桂一郎
- 法医学者の使命　「人の死を生かす」ために　吉田謙一
- 異文化コミュニケーション学　鳥飼玖美子
- モダン語の世界へ　山室信一
- 時代を撃つノンフィクション100　佐高信
- 労働組合とは何か　木下武男
- プライバシーという権利　宮下紘
- 地域衰退　宮﨑雅人
- 江戸問答　田中優子　松岡正剛
- 広島平和記念資料館は問いかける　志賀賢治
- コロナ後の世界を生きる　村上陽一郎編
- リスクの正体　神里達博
- 紫外線の社会史　金凡性
- 「勤労青年」の教養文化史　福間良明
- 5G　次世代移動通信規格の可能性　森川博之
- 客室乗務員の誕生　山口誠
- 「孤独な育児」のない社会へ　榊原智子
- 放送の自由　川端和治
- 社会保障再考　〈地域〉で支える　菊池馨実
- 生きのびるマンション　山岡淳一郎
- 虐待死　なぜ起きるのか、どう防ぐか　川崎二三彦
- 平成時代◆　吉見俊哉
- バブル経済事件の深層　奥山俊宏　村山治
- 日本をどのような国にするか　丹羽宇一郎
- なぜ働き続けられない？　社会と自分の力学　鹿嶋敬
- 物流危機は終わらない　首藤若菜

(2023.7)　◆は品切，電子書籍版あり．　(D1)

岩波新書より

(2023.7)　◆は品切，電子書籍版あり．(D2)

岩波新書より

金沢を歩く　山出　保
ドキュメント 豪雨災害　稲泉　連
ひとり親家庭　赤石千衣子
女のからだ フェミニズム以後　荻野美穂
〈老いがい〉の時代◆　天野正子
子どもの貧困 II　阿部　彩
性と法律　角田由紀子
ヘイト・スピーチとは何か◆　師岡康子
生活保護から考える◆　稲葉　剛
かつお節と日本人　宮内泰介・藤林　泰
家事労働ハラスメント　竹信三恵子
福島原発事故 県民健康管理調査の闇◆　日野行介
電気料金はなぜ上がるのか◆　朝日新聞経済部
おとなが育つ条件　柏木惠子
在日外国人〔第三版〕　田中　宏
まち再生の術語集　延藤安弘
震災日録 記憶を記録する◆　森　まゆみ
原発をつくらせない人びと　山秋　真

社会人の生き方◆　暉峻淑子
構造災 科学技術社会に潜む危機　松本三和夫
家族という意志◆　芹沢俊介
ルポ 良心と義務　田中伸尚
夢よりも深い覚醒へ◆　大澤真幸
3・11 複合被災◆　外岡秀俊
子どもの声を社会へ　桜井智恵子
就職とは何か◆　森岡孝二
日本のデザイン　原　研哉
ポジティヴ・アクション　辻村みよ子
脱原子力社会へ◆　長谷川公一
希望は絶望のど真ん中に　むのたけじ
アスベスト 広がる被害　大島秀利
原発を終わらせる　石橋克彦編
日本の食糧が危ない　中村靖彦
希望のつくり方　玄田有史
生き方の不平等◆　白波瀬佐和子
同性愛と異性愛　風間　孝・河口和也
新しい労働社会　濱口桂一郎

世代間連帯　上野千鶴子・辻元清美
道路をどうするか　五十嵐敬喜・小川明雄
子どもの貧困　阿部　彩
子どもへの性的虐待◆　森田ゆり
テレワーク 「未来型労働」の現実　佐藤彰男
反貧困　湯浅　誠
不可能性の時代　大澤真幸
地域の力　大江正章
少子社会日本　山田昌弘
親米と反米　吉見俊哉
「悩み」の正体　香山リカ
変えてゆく勇気◆　上川あや
戦争で死ぬ、ということ　島本慈子
ルポ 改憲潮流　斎藤貴男
社会学入門　見田宗介
冠婚葬祭のひみつ　斎藤美奈子
少年事件に取り組む　藤原正範
悪役レスラーは笑う◆　森　達也
いまどきの「常識」◆　香山リカ

岩波新書より

働きすぎの時代◆	森岡孝二
桜が創った「日本」	佐藤俊樹
生きる意味	上田紀行
社会起業家◆	斎藤槙
逆システム学◆	金子勝　児玉龍彦
男女共同参画の時代	鹿嶋敬
当事者主権	中西正司　上野千鶴子
豊かさの条件	暉峻淑子
クジラと日本人	大隅清治
人生案内	落合恵子
若者の法則	香山リカ
自白の心理学	浜田寿美男
原発事故はなぜくりかえすのか	高木仁三郎
日本の近代化遺産	伊東孝
証言 水俣病	栗原彬編
日の丸・君が代の戦後史◆	田中伸尚
コンクリートが危ない	小林一輔
東京国税局査察部	立石勝規
バリアフリーをつくる	光野有次
ドキュメント屠場	鎌田慧
能力主義と企業社会	熊沢誠
現代社会の理論	見田宗介
原発事故を問う◆	七沢潔
災害救援	野田正彰
スパイの世界	中薗英助
都市開発を考える	大野輝之　レイコ・ハベ・エバンス
ディズニーランドという聖地	能登路雅子
原発はなぜ危険か◆	田中三彦
豊かさとは何か	暉峻淑子
農の情景	杉浦明平
異邦人は君ヶ代丸に乗って	金賛汀
読書と社会科学	内田義彦
文化人類学への招待◆	山口昌男
ビルマ敗戦行記	荒木進
プルトニウムの恐怖	高木仁三郎
日本の私鉄	和久田康雄
社会科学における人間	大塚久雄
女性解放思想の歩み	水田珠枝
沖縄ノート	大江健三郎
沖縄	比嘉春潮
民話	関敬吾
唯物史観と現代〔第二版〕	梅本克己
民話を生む人々	山代巴
米軍と農民	阿波根昌鴻
沖縄からの報告	瀬長亀次郎
結婚退職後の私たち	塩沢美代子
ユダヤ人◆	J-P・サルトル　安堂信也訳
社会認識の歩み◆	内田義彦
社会科学の方法	大塚久雄
自動車の社会的費用	宇沢弘文
上海	殿木圭一
現代支那論	尾崎秀実

(2023.7)　◆は品切，電子書籍版あり．(D4)

岩波新書より

漆の文化史　四柳嘉章
平家の群像 物語から史実へ　高橋昌明
シベリア抑留　栗原俊雄
アマテラスの誕生　溝口睦子
遣唐使　東野治之
戦艦大和 生還者たちの証言から　栗原俊雄
中世日本の予言書　小峯和明
歴史のなかの天皇◆　吉田孝
沖縄現代史〔新版〕　新崎盛暉
刀狩り◆　藤木久志
戦後史　中村政則
明治デモクラシー　坂野潤治
環境考古学への招待　松井章
源義経　五味文彦
明治維新と西洋文明　田中彰
奈良の寺　奈良文化財研究所編
西園寺公望　岩井忠熊
日本の軍隊　吉田裕

東西／南北考　赤坂憲雄
江戸の見世物　川添裕
日本文化の歴史　尾藤正英
熊野古道◆　小山靖憲
日本の神々　谷川健一
南京事件　笠原十九司
日本社会の歴史 上・中・下　網野善彦
神仏習合　義江彰夫
従軍慰安婦　吉見義明
考古学の散歩道　田中琢・佐原真
武家と天皇　今谷明
中世倭人伝　村井章介
琉球王国　高良倉吉
昭和天皇の終戦史　吉田裕
幻の声 NHK広島8月6日　白井久夫
西郷隆盛　猪飼隆明
平泉 よみがえる中世都市　斉藤利男
象徴天皇制への道　中村政則

正倉院　東野治之
軍国美談と教科書　中内敏夫
日中アヘン戦争　江口圭一
青鞜の時代　堀場清子
江戸名物評判記案内　中野三敏
国防婦人会　藤井忠俊
日本文化史〔第二版〕　家永三郎
平将門の乱　福田豊彦
自由民権　色川大吉
日本中世の民衆像◆　網野善彦
神々の明治維新　安丸良夫
戒厳令　大江志乃夫
漂海民　羽原又吉
真珠湾・リスボン・東京　森島守人
陰謀・暗殺・軍刀　森島守人
東京大空襲　早乙女勝元
兵役を拒否した日本人　稲垣真美
演歌の明治大正史　添田知道
天保の義民　松好貞夫
太平洋海戦史〔改訂版〕◆　高木惣吉

(2023.7)　◆は品切，電子書籍版あり．　(N2)

世界史

岩波新書より

- ノモンハン戦争 モンゴルと満洲国　田中克彦
- 中国という世界　竹内実
- ウィーン 都市の近代　田口晃
- 紫禁城　入江曜子
- ジャガイモのきた道　山本紀夫
- 創氏改名　水野直樹
- フランス史10講　柴田三千雄
- 地中海　樺山紘一
- 多神教と一神教　本村凌二
- 奇人と異才の中国史　井波律子
- ドイツ史10講　坂井榮八郎
- ナチ・ドイツと言語　宮田光雄
- ニューヨーク◆　亀井俊介
- 離散するユダヤ人　小岸昭
- 現代史を学ぶ　溪内謙
- アメリカ黒人の歴史〔新版〕　本田創造
- 文化大革命と現代中国　安藤正士・太田勝洪・辻康吾
- フットボールの社会史　F・P・マグーンJr 忍足欣四郎訳

- コンスタンティノープル千年　渡辺金一
- ペスト大流行　村上陽一郎
- ピープス氏の秘められた日記　臼田昭
- 中世ローマ帝国　渡辺金一
- モロッコ　山田吉彦
- シベリアに憑かれた人々　加藤九祚
- インカ帝国◆　泉靖一
- 中国の隠者　富士正晴
- 漢の武帝◆　吉川幸次郎
- 孔子　貝塚茂樹
- 中国の歴史 上・中・下◆　貝塚茂樹
- インドとイギリス　吉岡昭彦
- アリストテレスとアメリカ・インディアン　L・ハンケ 佐々木昭夫訳
- フランス革命小史◆　河野健二
- 魔女狩り　森島恒雄
- 風土と歴史　飯沼二郎
- ヨーロッパとは何か　増田四郎
- 世界史概観 上・下　H・G・ウェルズ 長谷部文雄・阿部知二訳

- 歴史の進歩とはなにか◆　市井三郎
- 歴史とは何か　E・H・カー 清水幾太郎訳
- フランス ルネサンス断章　渡辺一夫
- チベット　多田等観
- 奉天三十年 上・下　クリスティー 矢内原忠雄訳
- ドイツ戦歿学生の手紙　ヴィットコップ編 高橋健二訳
- アラビアのロレンス 改訂版◆　中野好夫

シリーズ 中国の歴史

- 中華の成立 唐代まで　渡辺信一郎
- 江南の発展 南宋まで　丸橋充拓
- 草原の制覇 大モンゴルまで　古松崇志
- 陸海の交錯 明朝の興亡　檀上寛
- 「中国」の形成 現代への展望　岡本隆司

シリーズ 中国近現代史

- 清朝と近代世界 19世紀　吉澤誠一郎

(2023.7)　◆は品切，電子書籍版あり．(O2)

岩波新書より